ROND-POINT 2

Méthode de français basée sur l'apprentissage par les tâches

Catherine Flumian
Josiane Labascoule
Corinne Royer

AVANT-PROPOS

ROND-POINT s'adresse à des apprenants grands adolescents et adultes et comprend trois niveaux (débutant, intermédiaire et avancé) qui couvrent les niveaux A1 et A2 (**ROND-POINT 1**), B1 (**ROND-POINT 2**) et B2 (**ROND-POINT 3**) du *Cadre européen commun de référence pour les langues*. Ce deuxième niveau aide aussi à la préparation du DELF B1, en vigueur depuis septembre 2005.

LA PERSPECTIVE ACTIONNELLE ET L'APPRENTISSAGE PAR LES TÂCHES

Le *Cadre européen commun de référence* (CECR) établit les bases théoriques et fournit les outils méthodologiques nécessaires pour surmonter les carences des approches dites communicatives. Dans ce but, le CECR formule une proposition méthodologique cohérente et privilégie ce qu'il appelle une perspective actionnelle. Cela signifie que les usagers et les apprenants d'une langue sont, avant tout, considérés « comme des acteurs sociaux ayant à accomplir des tâches dans des circonstances et un environnement donnés... ». C'est dans ce sens que **ROND-POINT** est la première méthode de français basée sur l'apprentissage par les tâches.

UN ENSEIGNEMENT CENTRÉ SUR L'APPRENANT

Les situations proposées en classe sont trop souvent éloignées de l'environnement de l'apprenant. L'apprentissage par les tâches surmonte cette difficulté en centrant sur l'élève les activités réalisées en classe.
À partir de sa propre identité et en s'exprimant selon ses propres critères, l'élève développe de manière naturelle ses compétences communicatives dans la langue cible.

DES PROCESSUS AUTHENTIQUES DE COMMUNICATION

La mise en pratique de la perspective actionnelle, telle que nous l'avons conçue pour **ROND-POINT**, entraîne de profondes modifications. La communication qui s'établit au cours de l'exécution des tâches est enfin authentique et la classe — cet espace partagé dans le but d'apprendre (et d'utiliser) une langue réelle — devient un lieu où chacun vit des expériences de communication aussi riches et authentiques que celles que les apprenants vivent en dehors de la classe.

LES COMPOSANTS DE ROND-POINT

Chaque niveau de la méthode comprend un livre de l'élève (avec CD inclus), un cahier d'exercices (avec CD inclus) et un guide pédagogique. Chaque unité du ***Cahier d'exercices*** offre des activités spécialement conçues pour consolider les compétences linguistiques développées dans le ***Livre de l'élève*** et pour entraîner les apprenants aux examens du DELF.
Le ***Guide pédagogique*** explique les concepts méthodologiques sous-jacents et suggère différentes exploitations pour les activités du ***Livre de l'élève***.

Avec l'approche actionnelle, la méthodologie de l'enseignement-apprentissage du français langue étrangère prend un tournant radical. Il ne s'agit pas de rejeter pour autant les apports de l'approche communicative — qui y songerait ? — mais l'éclairage porte dorénavant sur une composante essentielle de la communication, à savoir : l'action.

Dans cette optique, l'apprenant est d'abord considéré comme « acteur social » et agit ou, mieux encore, interagit socialement en vue de maîtriser la langue cible. L'accent est donc placé sur la réalisation de tâches, tâches qui s'exécutent en commun.

L'enseignant et ses apprenants se fixent donc, séance après séance, des objectifs qui relèvent toujours d'un « faire », d'une action à entreprendre en commun.

Dans **ROND-POINT 2**, par exemple, les auteurs proposent des tâches qui font appel au jeu et à la créativité : chercher une personne avec qui partager un appartement, organiser un week-end avec des amis, mettre au point un produit qui va nous faciliter la vie, élaborer un test de personnalité, débattre sur des sujets quotidiens ou encore raconter des anecdotes.

Bien sûr, pour atteindre ces objectifs, l'apprenant aura besoin de « ressources » (connaissances culturelles et langagières) afin d'accomplir la tâche fixée.

Dans **ROND-POINT 2**, l'organisation des unités révèle clairement le plan stratégique à exécuter afin que l'apprenant puisse atteindre les objectifs :

1. Visualiser les compétences à atteindre, la tâche à réaliser et avoir un premier contact avec le vocabulaire.
2. Entrer dans le contexte, en réalisant des activités d'apprentissage propres aux différentes compétences.
3. Acquérir les ressources, en incorporant les « instruments » indispensables pour agir efficacement en société ; c'est-à-dire, être capable d'appliquer les « normes » et « tonalités culturelles, sociales et linguistiques requises », selon le « genre du contexte ».
4. Réaliser la tâche en déployant ses compétences et son aptitude d'« acteur social confirmé ».
5. Découvrir des éléments de la culture francophone et comparer avec la culture d'origine de l'apprenant.

On reconnaîtra facilement, grâce aux termes entre guillemets, les composantes du modèle communicationnel de Dell Hymes, père de l'ethnographie de la communication, discipline qui place l'action sociale au centre de ses préoccupations sociolinguistiques.

À la question cruciale que se posent bien des didacticiens, dont Philippe Meirieu, dans son ouvrage : *Apprendre... Oui. Mais comment ?*, **ROND-POINT 2**, par son ancrage consciencieux et volontaire dans l'approche actionnelle, apporte une réponse pragmatique efficace.

Geneviève-Dominique de Salins
Professeur émérite

DYNAMIQUE DES UNITÉS :

Les unités de ROND-POINT sont organisées en cinq doubles pages qui vous apportent progressivement le lexique et les ressources grammaticales nécessaires à la communication :

- **La rubrique ANCRAGE offre un premier contact avec le vocabulaire et les thèmes de l'unité. On y présente les objectifs, le contenu grammatical de l'unité et la tâche que vous devrez réaliser sous la rubrique TÂCHE CIBLÉE.**
- **La rubrique EN CONTEXTE propose des documents et des activités proches de la réalité hors de la classe. Ces documents vont vous permettre de développer une capacité de compréhension réelle.**
- **La rubrique FORMES ET RESSOURCES vous aide à systématiser les aspects de la grammaire nécessaires à la réalisation de la tâche ciblée.**
- **La rubrique TÂCHE CIBLÉE crée un contexte de communication où vous allez réutiliser tout ce que vous avez appris dans les étapes antérieures.**
- **La rubrique REGARDS CROISÉS fournit des informations sur le monde francophone et vous invite à réfléchir aux contrastes des cultures en contact.**

À la fin du livre, un MÉMENTO GRAMMATICAL réunit et développe tous les contenus abordés dans chaque unité, et notamment ceux présentés dans la rubrique FORMES ET RESSOURCES.

ANCRAGE

COMMENT EXPLOITER CES PAGES

- En général on vous propose de petites activités de découverte du vocabulaire.
- L'image est très importante, elle va vous aider à comprendre les textes et le vocabulaire.
- Vos connaissances préalables dans d'autres domaines (autres langues, autres matières) et votre expérience du monde sont aussi des ressources utiles pour aborder l'apprentissage du français. Utilisez-les !

EN CONTEXTE

COMMENT EXPLOITER CES PAGES

- Dès le début vous allez être en contact avec la langue française telle qu'elle est dans la réalité.
- Ne vous inquiétez pas si vous ne comprenez pas chaque mot. Ce n'est pas nécessaire pour mener à bien les activités proposées ici.
- *Les textes en rouge* offrent des exemples qui vont vous aider à construire vos propres productions orales.
- *Les textes en bleu* sont des modèles de productions écrites.

FORMES ET RESSOURCES

COMMENT EXPLOITER CES PAGES

- Vous allez presque toujours travailler avec une ou plusieurs personnes. Ceci va vous permettre de développer vos capacités d'interaction en français.
- Dans plusieurs activités on vous demande de réfléchir et d'analyser le fonctionnement d'une structure. Ce travail de réflexion vous aidera à mieux comprendre certaines règles de grammaire.
- Vous trouverez regroupées dans une colonne centrale toutes les ressources linguistiques mises en pratique. Cette fiche de grammaire vous aidera à réaliser les activités et vous pourrez la consulter autant de fois que vous le voudrez.

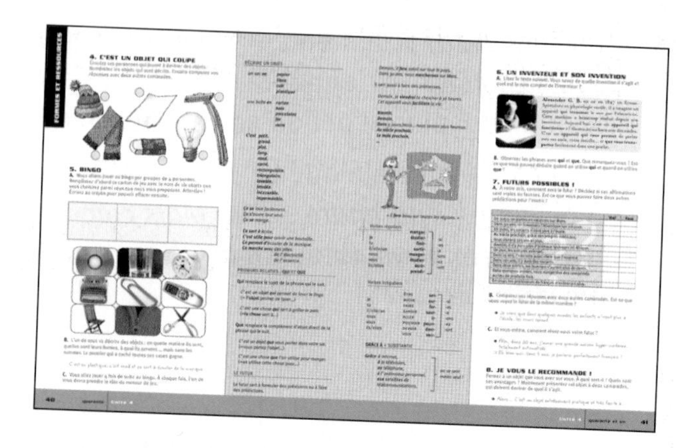

une façon cohérente d'apprendre une langue

TÂCHE CIBLÉE

COMMENT EXPLOITER CES PAGES

- L'aisance et l'efficacité communicatives sont ici essentielles.
- Vous allez réaliser cette tâche en coopération : vous allez résoudre un problème, échanger des informations et des opinions, négocier des solutions, élaborer des textes, etc.
- La phase de préparation est très importante. C'est l'occasion de mobiliser efficacement ce que vous avez appris. Mais, c'est aussi l'occasion de vous montrer créatif et autonome. Pour cela vous devez être capables d'évaluer vos besoins ponctuels en vocabulaire et en grammaire.
- Vous pouvez chercher les ressources dont vous avez besoin dans le livre, dans un dictionnaire ou dans l'« Antisèche », une petite fiche qui vous fournit de nouvelles ressources langagières. Vous allez discuter avec les membres de votre groupe à propos de la manière de réaliser la tâche et vous pouvez aussi solliciter ponctuellement l'aide de votre professeur.

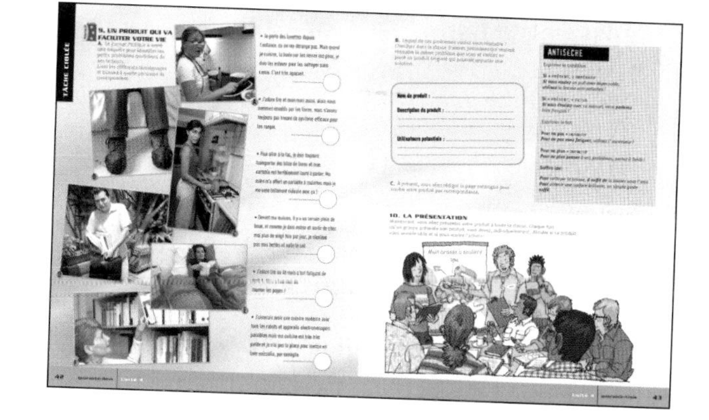

Cet icone indique les activités que vous pouvez classer dans votre Portfolio européen des langues.

REGARDS CROISÉS

COMMENT EXPLOITER CES PAGES

- Vous allez trouver dans ces pages des informations qui vont vous permettre de mieux connaître et mieux comprendre les valeurs culturelles, les comportements et la vie quotidienne dans différents pays où l'on parle français.
- Très souvent on vous demandera de réfléchir à votre propre identité culturelle, à vos propres expériences de la vie pour mieux comprendre ces nouvelles réalités culturelles.
- Certains documents peuvent vous sembler complexes, ne vous inquiétez pas : ce sont des « échantillons » de culture qui sont là pour vous montrer une autre réalité. Ce ne sont pas des textes à reproduire.

MÉMENTO GRAMMATICAL

COMMENT EXPLOITER CES PAGES

À la fin du livre, le MÉMENTO GRAMMATICAL développe les explications contenues dans la fiche de grammaire de la rubrique FORMES ET RESSOURCES.

- Vous pourrez consulter cet outil à tout moment de votre apprentissage.
- Il vous aidera dans les activités centrées sur la découverte et la conceptualisation d'aspects formels et sera un appui pour le développement de votre autonomie.

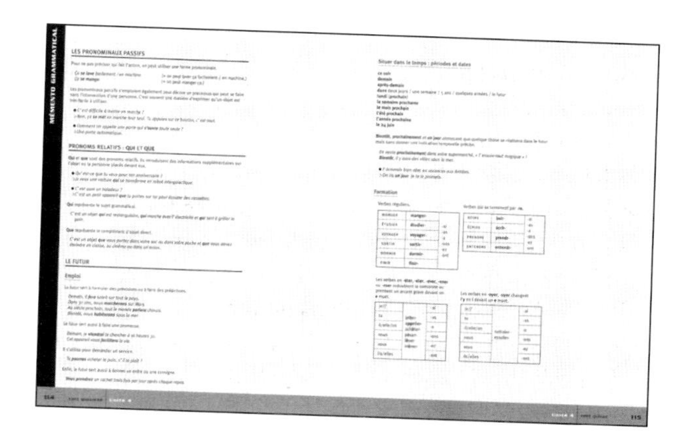

ANCRAGE

CHERCHE COLOCATAIRE

Nous allons chercher dans la classe une personne avec qui partager un appartement.

Pour cela nous allons apprendre à :

- parler de nos goûts, de notre manière d'être et de nos habitudes
- décrire l'endroit où nous habitons
- exprimer des ressemblances, des différences et des affinités
- nous orienter dans l'espace
- communiquer nos impressions et nos sentiments

Et nous allons utiliser :

- *adorer, détester, ne pas supporter*
- *(m') intéresser, (m') ennuyer, (me) déranger...*
- le conditionnel : *moi, je préférerais...*
- les prépositions de localisation dans l'espace : *à droite, à gauche, en face de...*
- les questions : *quand, où, à quelle heure...*
- *avoir l'air* + adjectif qualificatif
- les intensifs : *si, tellement*

1

1. WWW.COLOCATAIRESYMPA.FR

A. Ces quatre jeunes femmes habitent Paris et cherchent un colocataire pour partager le loyer. Lisez les messages qu'elles ont laissés sur Internet et regardez les photos. Est-ce que vous pouvez retrouver qui est qui ?

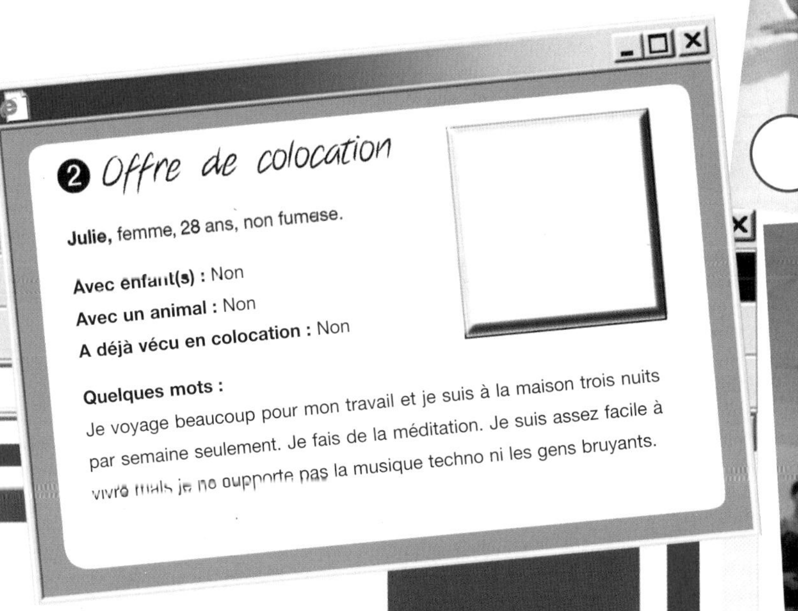

❷ *Offre de colocation*

Julie, femme, 28 ans, non fumeuse.

Avec enfant(s) : Non
Avec un animal : Non
A déjà vécu en colocation : Non

Quelques mots :
Je voyage beaucoup pour mon travail et je suis à la maison trois nuits par semaine seulement. Je fais de la méditation. Je suis assez facile à vivre mais je ne supporte pas la musique techno ni les gens bruyants.

❹ *Offre de colocation*

Fabienne, 30 ans, fumeuse

Avec enfant(s) : Non
Avec un animal : Non
A déjà vécu en colocation : Oui

Quelques mots :
Je cherche un(e) colocataire étudiant(e) ou dans la vie active. Je travaille à la maison, le désordre ne me dérange pas, mais le bruit m'irrite. Je suis assez facile à vivre, j'adore la musique brésilienne, cuisiner et sortir.

Internet

B. Quelle impression vous font ces personnes ?

- *Émilie a l'air très sociable, très tolérante.*
- *Oui, et elle a l'air assez sympathique.*

sociable	sérieuse
amusante	« coincée »
sympa(thique)	timide
antipathique	ouverte
tolérante	intelligente
intéressante	bruyante
désordonnée	calme

C. Imaginez que vous allez vivre à Paris une année. Vous cherchez une chambre en colocation. Lisez de nouveau ces annonces, avec qui préféreriez-vous habiter ?

- *Moi je préférerais habiter avec Aïcha, parce qu'elle est étudiante comme moi et non fumeuse.*
- *Moi non ! Je préférerais habiter avec Émilie parce qu'elle a l'air très ouverte et sociable.*

EN CONTEXTE

2. DES APPARTEMENTS À LOUER

A. Regardez cette annonce immobilière. Pouvez-vous identifier chaque pièce ?

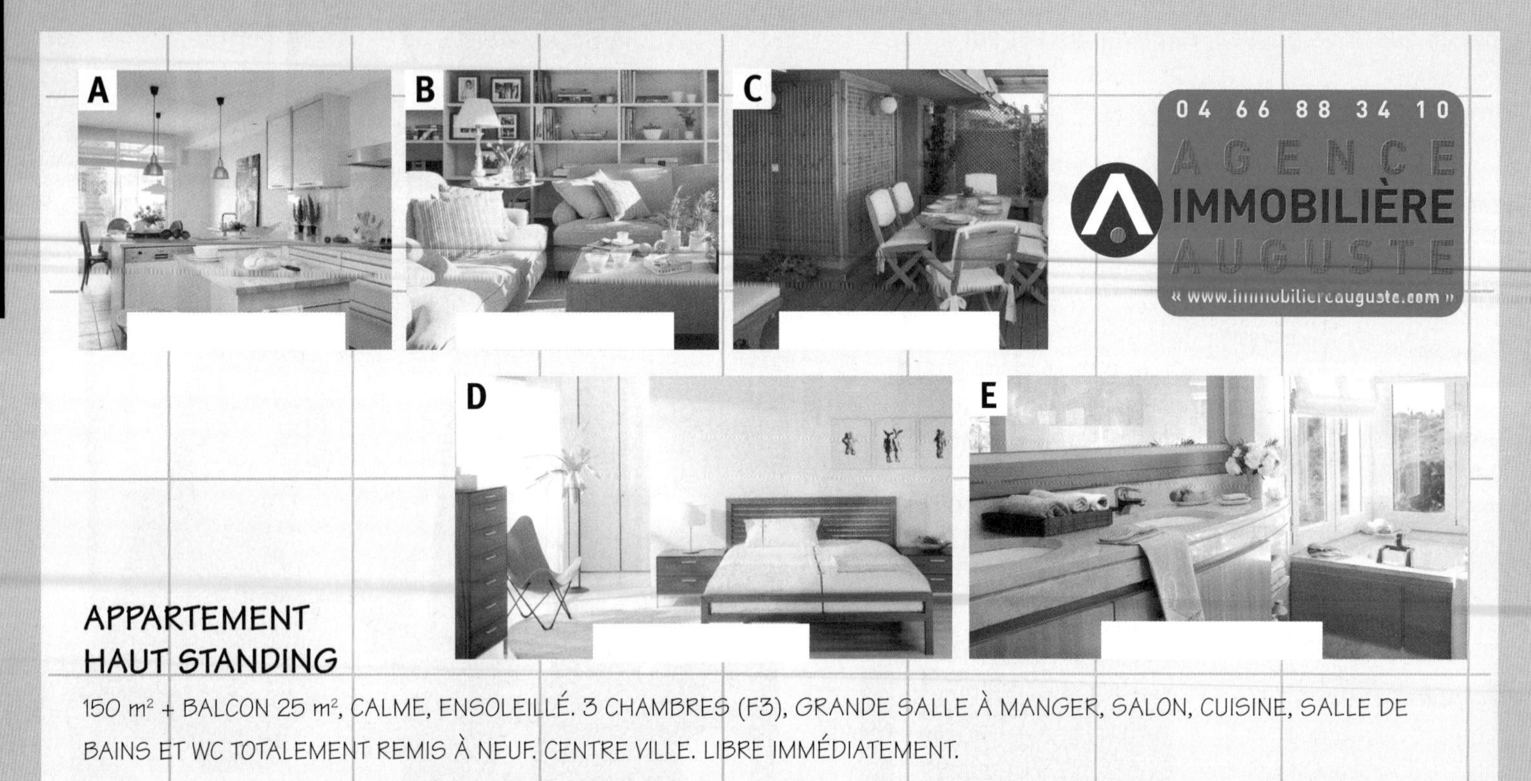

B. L'agent immobilier fait visiter l'appartement ci-contre. Écoutez la conversation. Où se trouve chaque pièce ?

- à côté (de)
- à gauche
- à droite
- au fond (de)
- en face (de)

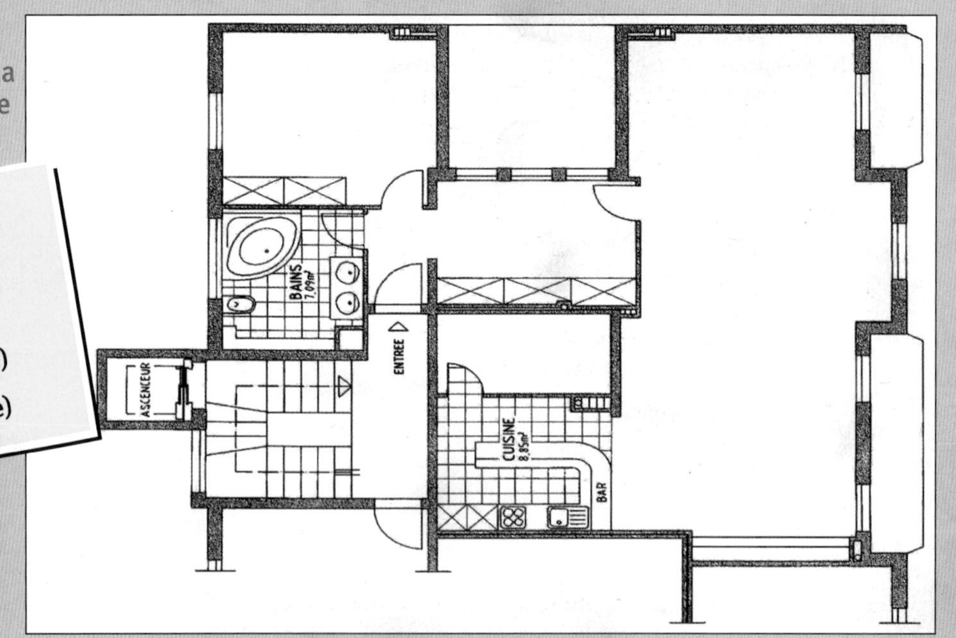

C. Et chez vous, c'est comment ? Complétez la fiche et présentez votre « chez-vous » à un camarade.

Nombre de chambres : ● studio ● 1 chambre (F1) ● 2 chambres (F2) ● 3 chambres (F3) ● 4 chambres (F4) ● 5 chambres (F5)

grand	petit	au centre ville	loin du centre ville
calme	bruyant	ensoleillé	sombre

- Chez moi, c'est plutôt grand. Il y a 6 pièces : la cuisine, la salle à manger, 2 chambres et un salon, une salle de bains et des toilettes, bien sûr. C'est un appartement...

3. VOTRE VEDETTE AU QUOTIDIEN

A. Lisez cette interview de la chanteuse Lara Garacan et complétez sa fiche.

Interview de la chanteuse Lara Garacan

Bonjour Lara !

Bonjour !

Lara, quand vous n'êtes pas sur scène, que faites-vous ?

Eh bien, vous savez, dans ce métier, on a besoin de se retrouver seul avec soi-même. Il faut se protéger de la surmédiatisation. Donc, quand j'ai du temps pour moi, je m'occupe d'une ferme que j'ai dans le Gers, et puis, j'ai une grande passion pour l'eau, la mer, le soleil. Dès que je peux, je vais voir la mer.

Qu'est-ce que vous aimez particulièrement ?

J'aime la vie de famille, les enfants, cuisiner, accueillir des amis autour d'un bon plat. Il n'y a rien de meilleur qu'une bonne table avec des amis et des rires.

On dit que vous êtes une révoltée... Qu'en pensez-vous ?

Oui, je me sens révoltée, je supporte mal le système qu'on nous impose, alors j'écris beaucoup.

Écrire, ça vous permet d'exprimer votre révolte ?

Oui, j'en ai besoin pour exprimer mes révoltes. C'est pour ça que j'aime les sports à risques, je pense. Je fais du deltaplane et du ponting, J'adore les sensations fortes. Je suis un peu impatiente parfois et nerveuse, j'ai besoin de dépenser mon énergie.

Qu'est-ce que vous détestez ?

Je n'aime pas les hypocrites, je ne supporte pas qu'on me donne des ordres et il y a plein de petits détails qui me dérangent.

Comme quoi par exemple ?

La fumée, le bruit de la circulation en ville ou les chiens de mon voisin.

•Elle adore :	•Elle supporte mal : ....
•Elle déteste :	• .... la dérange/nt (beaucoup)
•Elle fait (souvent) :	....

B. Quelle impression vous fait Lara Garacan ?

- *Elle a l'air facile à vivre.*
- *Je ne sais pas. En tout cas, elle a l'air très dynamique.*

C. Est-ce que vous avez des points communs avec Lara Garacan ? Parlez-en avec un camarade.

- *Moi aussi j'aime la mer et le soleil.*
- *Moi aussi...*

4. MON APPART

A. Individuellement, faites le plan de votre appartement ou de votre maison en écrivant le nom des pièces.

B. Maintenant expliquez à un camarade la disposition des pièces chez vous. Celui-ci devra dessiner le plan de votre appartement ou maison en suivant vos indications.

- ● Alors, quand tu rentres, à droite, il y a une chambre.
- ○ Comme ça ?
- ■ Oui voilà, et à côté, il y a la salle de bains.

5. MOI, JE M'ENTENDRAIS BIEN AVEC...

Complétez cette fiche avec la description d'une personne de votre entourage (un ami, un cousin, une sœur, un frère...). Ensuite, par groupes de quatre, lisez cette description. Chacun doit décider s'il s'entendrait bien avec cette personne ou non.

Nom : .... **Âge :** ....

Il/elle adore : ....
....
Il/elle déteste : ....
....
....

- danser
- nager
- l'ordre
- le cinéma
- sortir
- le sport
- inviter
- la musique
- se lever tôt
- lire
- la télé
- autre :

- les chats
- la saleté
- le désordre
- la fumée
- le bruit
- autre :

....
.... le/la gêne/ent beaucoup.
....
.......................le/la dérange/ent beaucoup.

Il/elle fait souvent ....
....

- du sport
- des voyages
- de la musique
- du vélo
- la sieste
- autre :

EXPRIMER DES IMPRESSIONS

Avoir l'air + adjectif

*Elle **a l'air ouverte.*** (= elle semble être ouverte)

Dans cette expression, l'adjectif s'accorde avec le sujet.

***Il a l'air** sérieux.*
***Elle a l'air** sérieuse.*

Trouver + adjectif

*Je le **trouve** plutôt antipathique.*(= il me semble...)

*Elle est belle, mais je la **trouve** un peu froide.*

EXPRIMER DES SENTIMENTS

IRRITER : *Le bruit **(, ça) m'irrite.***
DÉRANGER : *La fumée **(, ça) me dérange.***
GÊNER : *La pollution **(, ça) me gêne.***
AGACER : *Le maquillage **(, ça) m'agace.***
ÉNERVER : *La tranquillité **(, ça) m'énerve.***
PLAIRE : *La danse **(, ça) me plaît.***

Ces verbes peuvent tous s'employer avec la forme impersonnelle **ça me**, qui se conjugue à la 3e personne du singulier.

Si le sujet est pluriel, le verbe se conjugue à la 3e personne du pluriel.

*Tous ces bruits m' irrit**ent**.*

EXPRIMER L'INTENSITÉ FORTE

***Qu'est-ce que** c' est sombre !*
*Je le trouve **tellement** beau !*
*Elle est **si** belle !*

CONDITIONNEL

Les terminaisons du conditionnel sont les mêmes pour tous les verbes.

AIMER
j'aimer**ais**
tu aimer**ais**
il/elle/on aimer**ait**
nous aimer**ions**
vous aimer**iez**
ils/elles aimer**aient**

FINIR
je fin**irais**
tu fin**irais**
il/elle/on fin**irait**
nous fin**irions**
vous fin**iriez**
ils/elles fin**iraient**

Ce temps sert à exprimer un désir.

*Je **préférerais** habiter avec Sonia.*

***J'aimerais** dîner en tête à tête avec Johnny Depp.*

*Je **passerais (volontiers)** une semaine de vacances avec Eminem.*

Il sert aussi à faire une suggestion, une proposition.

*On **pourrait** chercher un troisième colocataire.*
*Il **pourrait** dormir dans la salle à manger.*

ORIENTATION DANS L'ESPACE

à droite (de)

à gauche (de)

au coin (de)

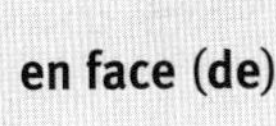

en face (de)

au fond (de)

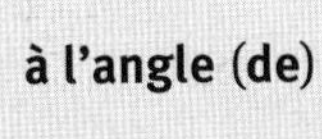

à l'angle (de)

derrière

devant

6. COLIN-MAILLARD

Règle du jeu : sur un papier, dessinez un parcours (vous pouvez vous inspirer de l'exemple). Votre camarade devra faire ce parcours avec un stylo les yeux fermés en essayant de suivre vos indications. Il doit sortir du parcours le moins possible.

● *Alors, va tout droit, encore un peu. Arrête ! Maintenant tourne à droite...*

7. TELLEMENT SÉDUISANT !

Pensez à des personnes, célèbres ou non,

- que vous aimeriez rencontrer.
- avec qui vous passeriez volontiers une semaine de vacances.
- avec qui vous dîneriez en tête-à-tête.
- avec qui vous partiriez en voyage à l'aventure.
- avec qui vous aimeriez sortir un soir.
- que vous inviteriez chez vous le jour de Noël.

● *Moi, j'aimerais rencontrer Viggo Mortensen. Il est si séduisant !*
○ *Et bien moi, je passerais volontiers une semaine...*

8. À LA RECHERCHE D'UN APPARTEMENT

A. Vous cherchez un logement avec deux autres camarades, voici trois plans d'appartements. Il y a un F2 très grand et clair, un F3 moyen et un F4 avec des chambres assez petites et plus sombres. Mettez-vous d'accord sur l'appartement que vous allez choisir.

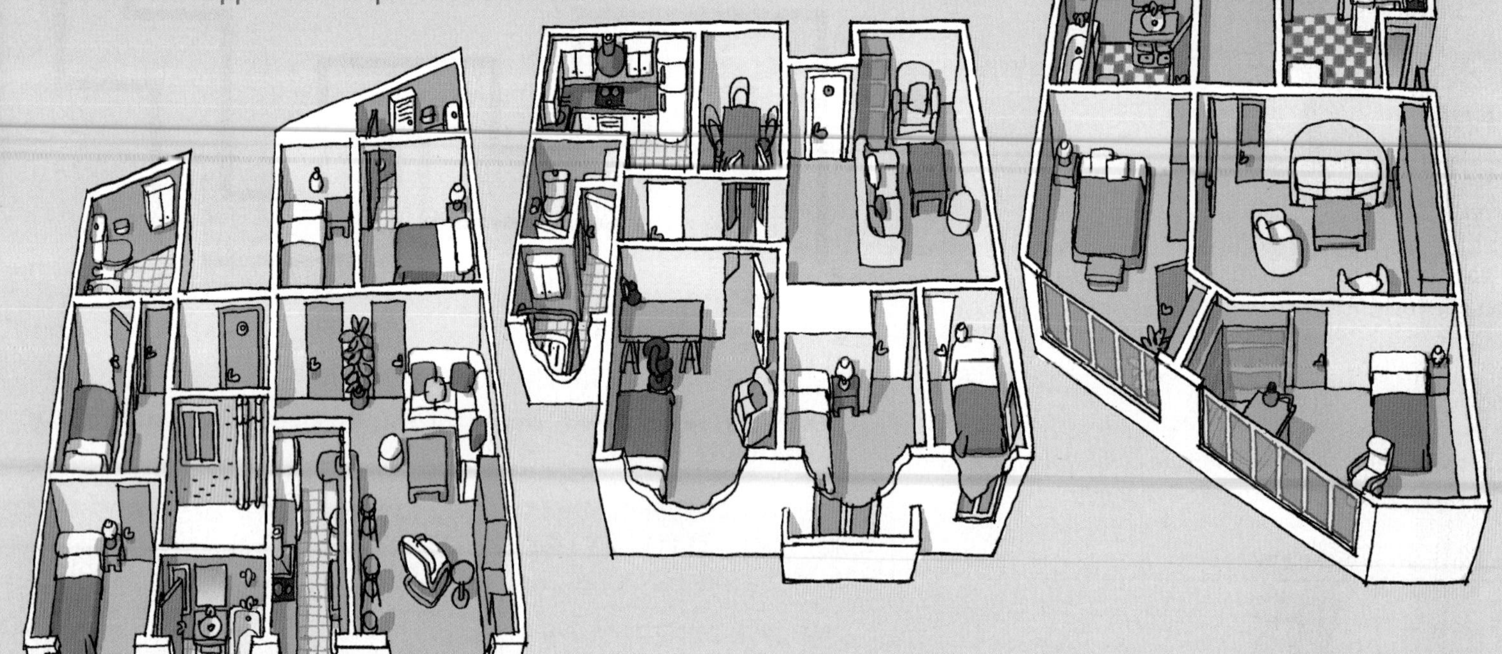

B. Vous venez de louer cet appartement avec vos deux camarades. Décidez comment vous allez partager l'espace et organiser votre cohabitation.

- ● *On pourrait prendre l'appartement de 4 chambres.*
- ○ *Non, les chambres sont trop petites, on prend... ?*
- ■ *Non, je trouve que...*

- ● *Moi je prends cette chambre.*
- ○ *Oui, et moi celle-là.*
- ■ *Non, je ne suis pas d'accord...*

9. LE/LA QUATRIÈME COLOCATAIRE

A. Le loyer de votre appartement a beaucoup augmenté. Vous décidez de chercher un quatrième colocataire. Où va-t-il dormir ?

- ● *On pourrait partager une chambre ?*
- ○ *Non, je crois qu'on pourrait...*

B. Vous avez passé une petite annonce dans la presse et quelques personnes vous ont contactés. Qu'est-ce que vous allez leur demander pour savoir si vous allez pouvoir vous entendre ? Chacun de vous va interviewer un candidat. Préparez ensemble les questions que vous allez lui poser.

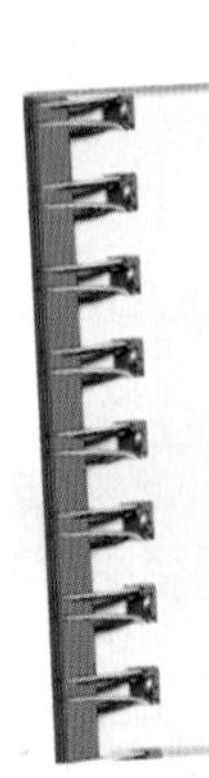

1. *Est-ce que tu fumes ?*
2. *À quelle heure tu te lèves normalement ?*
3.
4.

...

C. Chacun va rencontrer un camarade d'un autre groupe qui jouera le rôle du candidat à la colocation. Vous allez l'interroger et lui montrer où il va dormir.

- Alors tu vas partager la chambre avec Paola.
- D'accord, mais...

D. À présent, retrouvez votre groupe d'origine et mettez en commun les réponses des candidats. Décidez avec qui vous voulez partager votre appartement.

- Moi je crois qu'on s'entendrait bien avec Oscar parce qu'il est très calme et il a l'air...

10. UN COURRIEL POUR LE QUATRIÈME COLOCATAIRE

Vous avez décidé qui sera le quatrième colocataire ? Bien, alors vous prévenez par courriel la personne que vous avez choisie.

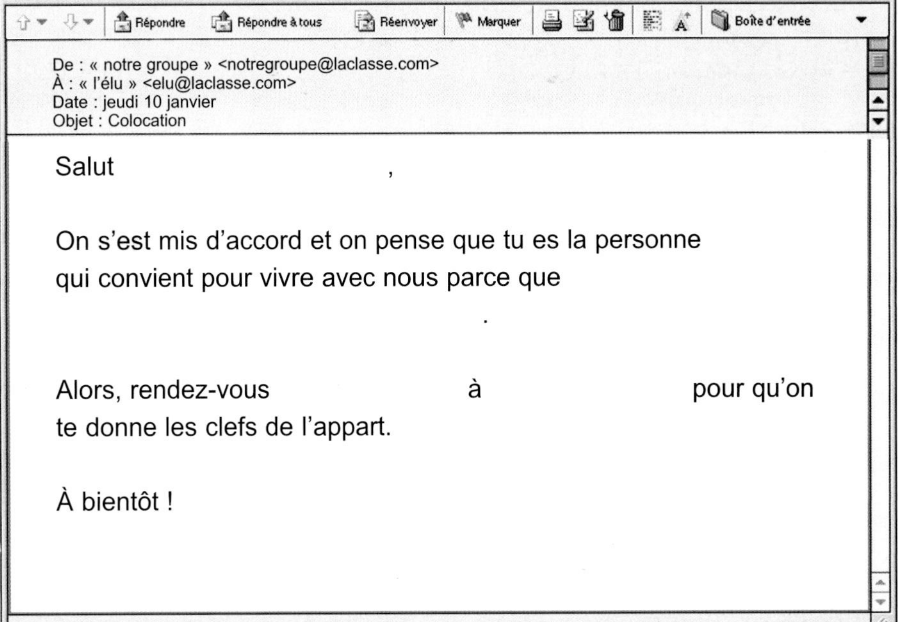

Collacation

Répondre | Répondre à tous | Réenvoyer | Marquer | Boîte d'entrée

De : « notre groupe » <notregroupe@laclasse.com>
À : « l'élu » <elu@laclasse.com>
Date : jeudi 10 janvier
Objet : Colocation

Salut ,

On s'est mis d'accord et on pense que tu es la personne qui convient pour vivre avec nous parce que .

Alors, rendez-vous à pour qu'on te donne les clefs de l'appart.

À bientôt !

LES FRANCILIENS RESTENT À LA MAISON

En Île-de-France, les jeunes restent un peu plus longtemps chez leurs parents que dans les autres régions françaises. Mais pourquoi cette tendance des jeunes à rester chez leurs parents s'accentue-t-elle en région parisienne ? Cette différence avec le reste de la France s'explique essentiellement par la proximité des universités. En effet, il y a beaucoup de facultés à Paris et dans sa région. Par conséquent, les jeunes de l'Île-de-France qui décident de faire des études universitaires ne sont pas obligés de quitter le domicile familial. En province, par contre, les universités sont souvent éloignées du domicile des parents et les jeunes doivent quitter leur famille pour poursuivre leurs études.

11. ENCORE CHEZ LEURS PARENTS

A. Lisez le texte. Est-ce que c'est aussi comme ça dans votre pays ?

B. Regardez ce tableau. C'est le pourcentage de jeunes qui vivent encore chez leurs parents dans la région parisienne. Qu'est-ce que vous remarquez ?

	HOMMES	FEMMES
20-24 ans	71%	56%
25-29 ans	27%	15%

C. D'après vous, pourquoi les filles partent-elles plus jeunes de la maison ? Choisissez une réponse.

a. Les filles ont plus souvent des conflits avec leurs parents au sujet des relations amoureuses.
b. Les filles étudient moins longtemps et commencent à travailler avant les garçons. Comme elles ont un salaire régulier, elles peuvent s'émanciper.
c. Les filles sont mieux préparées pour tenir une maison. Elles savent cuisiner, faire la vaisselle, le ménage et les courses.

D. Maintenant écoutez le sociologue Philippe Douchard et vérifiez votre réponse.

12. TÉMOIGNAGES

Lisez ces témoignages de jeunes Français.
Est-ce qu'il y a des points communs avec ce qui se passe dans votre pays ?

Les filles sont plus souvent pressées de partir que les garçons

VANESSA

J'ai 24 ans et je suis aide-soignante. Je loue un studio depuis deux ans. Le loyer est un peu cher mais je préfère mon indépendance. Je n'ai pas besoin de dire à mes parents avec qui je sors, où je vais et à quelle heure je rentre.

Quand les jeunes s'émancipent, ils vont souvent habiter à moins de 5 kilomètres de chez leurs parents

STEVEN

J'ai 23 ans et je travaille en intérim. C'est un peu dur, je ne gagne pas beaucoup d'argent et mon loyer représente 40% de mon salaire. J'habite pas très loin de chez mes parents, dans le quartier où j'ai grandi. Comme ça, le week-end, je me retrouve avec mes copains de toujours, on s'entend bien ! C'est important de se soutenir mutuellement.

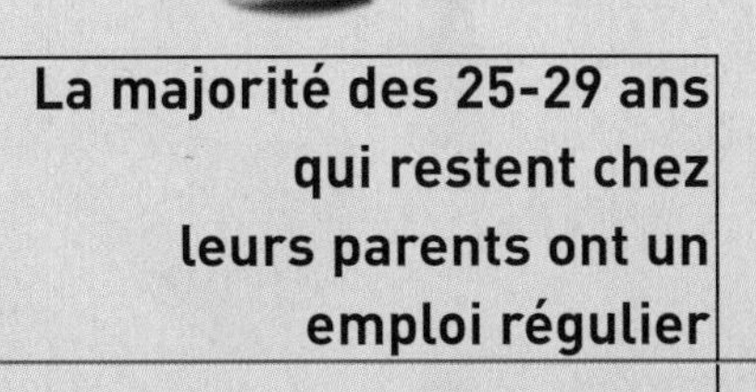

La majorité des 25-29 ans qui restent chez leurs parents ont un emploi régulier

THIERRY

J'ai 27 ans, je suis mécanicien et j'ai un emploi stable depuis un an. Je vis encore chez mes parents et ça ne pose aucun problème. Mes parents sont très compréhensifs et tolérants, ils ont très bien accepté la présence de Johanne, ma petite amie. Nous avons l'intention de faire quelques économies et dans deux ou trois ans, nous nous installerons chez nous.

SI ON ALLAIT AU THÉÂTRE ?

Nous allons organiser un week-end dans notre ville pour des amis français.

Pour cela nous allons apprendre à :

- exprimer nos préférences en matière de loisirs
- faire part des expériences
- faire des suggestions et exprimer une envie
- inviter quelqu'un
- accepter ou refuser une invitation et à fixer un rendez-vous (lieu et date)

Et nous allons utiliser :

- *c'était (très)* + adjectif ; *il y avait plein de* + nom
- *ça te dit de* + infinitif
- *si on* + imparfait
- *avoir envie de* + infinitif
- le futur proche
- les jours de la semaine, les moments de la journée et l'heure
- des prépositions et locutions de localisation : *au centre de, (pas) loin de, (tout) près de*

2

1. À FAIRE

A. Regardez les images. Quelles sont les activités qu'on peut faire dans cette ville ce week-end ?

B. Imaginez que vous passez le week-end dans cette ville. Lesquelles de ces activités vous intéressent ? Parlez-en avec deux autres camarades.

- *Moi, j'aimerais bien prendre un bain dans un hammam et suivre un cours de photo numérique.*
- *Et bien moi, j'aimerais...*

- ◯ suivre un cours de photo numérique
- ◯ aller en boîte
- ◯ prendre un bain au hammam
- ◯ aller au cirque
- ◯ visiter un salon ou une exposition
- ◯ faire une partie de jeu de rôle avec des internautes du monde entier
- ◯ faire du patin à glace
- ◯ voir un match de football
- ◯ faire du shopping

2. ÇA TE DIT ? (3) (4) (5)

A. Maintenant, écoutez ces conversations entre des amis qui parlent de ce qu'ils vont faire ce week-end. Où vont-ils ?

1. Mario et Lucas : ....
2. Sonia et Nathanaël : ....
3. Lise et Katia : ....

B. Et vous ? Qu'est-ce que vous faites normalement le vendredi ou le samedi soir ? Parlez-en avec deux ou trois camarades.

	souvent	quelquefois	jamais
Je vais danser / en boîte...			
Je sors dîner.			
Je joue avec des amis à un jeu de société / jeu de rôle...			
Je « chate » avec mes amis.			
Je fais du théâtre, de la danse...			
Je vais au cinéma.			
J'organise des soirées DVD avec des amis.			
Autres :			

- *Moi, le samedi soir je vais souvent danser avec les copains.*
- *Moi, le vendredi soir, je vais quelquefois au cinéma ou bien j'organise un repas à la maison.*

3. VIVEMENT LE WEEK-END !

A. Tous ces gens parlent de leurs projets pour le week-end. Luc, par exemple, aimerait sortir avec Roxane, mais est-ce qu'elle va accepter ? Regardez ces illustrations, dans chacun des extraits une phrase manque. Replacez les phrases ci-contre dans le dialogue correspondant.

- Si on allait voir *Spiderman* ?
- Ça te dit de venir avec moi ?
- Moi, j'ai très envie d'aller danser.
- Euh, je suis désolé mais je ne suis pas libre samedi !

1

- ❍ Allô !
- ● Bonjour Roxane ! C'est Luc !
- ❍ Ah, bonjour Luc !
- ● Dis-moi, est-ce que tu es libre ce week-end ?
- ❍ Euh... oui, pourquoi ?
- ● Et bien, j'ai deux entrées pour le concert de Björk samedi soir.
- ❍ Ah oui ? Génial !
- ● ....
- ❍ Oui, merci pour l'invitation !

2

- ❍ Qu'est-ce que tu fais, toi, ce week-end ?
- ■ .... Avec Samuel on va au Macadam Pub vendredi soir. Y'a des soirées salsa tous les vendredis. L'ambiance est très très sympa. Et toi ?
- ❍ Moi je sors avec qui tu sais !!
- ■ Avec Luc ? C'est pas vrai !!
- ❍ Si si ! Il m'a invitée au concert de Björk.
- ■ Super !!

3

- ❑ Qu'est-ce qu'on fait samedi soir ?
- ▲ ....
- ▼ Ah je l'ai vu, c'est pas terrible !
- ❑ Oui, et puis moi, les films d'action, c'est pas mon truc.
- ▲ Et si on allait voir « Désirs et murmures ». Il paraît que c'est super bon !
- ▼ Ouais, moi je suis d'accord ! Et toi, Thomas ?
- ❑ Ouais, pour moi, c'est d'accord. On prévient Luc ?
- ▼ Ok, je m'en charge.

4

- ● Allô ?
- ▲ Allô Luc ?
- ● Ah salut Yasmine !
- ▲ Écoute, samedi soir on sort avec les copains.Tu veux venir ?
- ● ....

B. Écoutez les dialogues complets et vérifiez puis résumez ce qu'ils vont faire ce week-end.

Luc va sortir samedi soir avec .... et ils vont aller ....

Sandra va sortir .... avec Samuel et ils vont ....

Yasmine va sortir .... avec .... et ils vont ....

C. Écoutez de nouveau. Vous avez remarqué comment... ?

- On propose de faire quelque chose.
- On exprime un désir.
- On accepte une proposition.
- On refuse une invitation.

4. TROIS CINÉPHILES

A. Lisez ces synopsis, est-ce que vous savez à quel titre correspond chacun ?

1

Film néo-zélandais/américain (2003)

▸ Les armées de Sauron ont attaqué Minas Tirith, la capitale de Gondor. Les Hommes luttent courageusement. Tous les membres de la communauté font tout pour détourner l'attention de Sauron et donner à Frodon une chance d'accomplir sa mission. Voyageant à travers les terres ennemies, Frodon doit se reposer sur Sam et Gollum, tandis que l'anneau continue de le tenter.

2

Film français/américain (1988)

▸ Ce film raconte l'histoire de deux enfants en Grèce, passionnés par la plongée en apnée. Leur rivalité se poursuivra dans leur vie d'adulte. Lequel des deux descendra le plus loin ? Vous découvrirez leurs amours, leurs amitiés, avec les humains et avec les dauphins.

3

Film américain (1990)

▸ Clarisse Sterling, une jeune stagiaire du FBI, est chargée d'enquêter sur une série de meurtres épouvantables commis dans le Middle West par un psychopathe connu sous le nom de « Buffalo Bill ».

LE SILENCE DES AG

~~ex-1~~
ex-4 - A, B -
Vos vacances

Subject Centre for Languages, Linguistics and Area Studies
www.llas.ac.uk
The Higher Education Academy

B. Marc, Léna et Stéphane sont trois jeunes qui « chatent » parfois sur Internet. Voici un fragment d'un de leurs « chats » se rapportant aux films ci-contre. Qu'est-ce que chacun a vu ? Quand ? Qu'est-ce qu'ils en ont pensé ?

Adresse http://www.chatjeune.com

Marc-19 dit :
Salut les gars !
Je suis allé au ciné club la semaine dernière j'ai vu un bon film, vraiment je vous le recommande.
Stephparis dit :
Ah ! Ouais ! C'est quoi ?
Marc-19 dit :
Je me souviens plus du titre, c'est pas très récent, c'ést en anglais sous-titré.
Lena-na dit :
Et ça raconte quoi ?
Marc-19 dit :
C'est un film policier, mais avec beaucoup de suspense. C'est génial !
Stephparis dit :
Ben moi aussi je suis allé au ciné, hier au soir et j'ai vu « Le Retour du roi ».
Lena-na dit :
Tu as aimé ?
Stephparis dit :
Euh ! Oui, j'ai bien aimé, c'est pas mal mais je m'attendais à autre chose. Avec toute la publicité qu'il y a eu, je pensais voir quelque chose d'extraordinaire.
Marc-19 dit :
Moi, j'ai lu le livre et c'est super !
Lena-na dit :
Eh ben moi ce week-end j'ai revu un film pour la troisième fois. C'est mon film préféré.
Stephparis dit :
Trois fois ! ? C'est quoi cette merveille ?
Lena-na dit :
C'est un vieux film, très poétique. Les images sont superbes. C'est sur la mer, les dauphins... J'adore.

	Quel film ?	Quand ?	Appréciation positive	négative

...-vous le cinéma ? Pensez à un film qui vous a plu : ...ndez-le à vos camarades.

... avez vu « Vatel ». C'est un film génial de...

5. QU'EST-CE QUE VOUS AVEZ FAIT CE WEEK-END ?

A. Vous allez découvrir ce que les autres personnes de la classe ont fait ce week-end. Mais, d'abord, remplissez vous-même ce questionnaire.

Je suis resté(e) chez moi.

Je suis allé/e
- au cinéma.
- à un concert.
- en discothèque.
- chez des amis.
- ailleurs : ....

J'ai fait
- du football.
- du skate.
- une partie de cartes.
- autre chose : ....

J'ai vu
- un film.
- une exposition.
- autre chose : ....

B. Parlez maintenant avec deux ou trois camarades de vos activités du week-end.

C'était	génial. chouette. sympa. nul. ennuyeux.

Je me suis	vraiment vachement bien beaucoup pas mal	amusé/e. ennuyé/e.

- ● Qu'est-ce que tu as fait ce week-end ?
- ❍ Je suis allée à un concert de musique classique...

C. Quelles sont les trois activités les plus fréquentes dans votre classe ?

D. Vous avez déjà des projets pour le week-end prochain ? Parlez-en avec deux autres camarades.

- ● Moi, le week-end prochain je vais aller au cinéma.
- ❍ Eh bien moi, je vais peut-être sortir en boîte. Et toi ?
- ■ Moi, je ne sais pas encore.

6. J'AI A-DO-RÉ !

A. Mettez-vous par groupes de trois et parlez d'un lieu où vous êtes allés et que vous avez adoré ou détesté. Vous pouvez utiliser un dictionnaire ou demander de l'aide à votre professeur.

- ● Un lieu que tu as adoré ?
- ❍ Moi, la Sicile, c'est dans le sud de l'Italie. C'était très joli et il faisait très très beau. C'était très très bien. Vraiment !
- ● Et un lieu que tu as détesté ?

DÉCRIRE ET ÉVALUER (UN SPECTACLE, UN WEEK-END...)

- ● *Tu es allé au cinéma ?*
- ❍ *Oui, j'ai vu Spiderman III.* ***C'était génial !***

C'était (vraiment)	**super.** **génial.**
C'était (très très*)	**joli.** **mauvais.** **intéressant.** **bien.** **sympa.**

* À l'oral, on répète souvent **très** pour donner plus de force à l'appréciation.

C'est un journal d'informations / un film / un documentaire / un jeu concours / un « reality show » / une retransmission sportive / une série télévisée / un magazine

IL Y AVAIT PLEIN DE + SUBSTANTIF

Plein de s'utilise en code oral dans le sens de « beaucoup de ».

- ● *En boîte hier, il y avait* ***plein de*** *fumée. Impossible de respirer !*
- ❍ *Oui, mais il y avait aussi* ***plein de*** *gens intéressants !*

* À l'oral, **il y avait** est souvent prononcé **y'avait**.

PROPOSER, SUGGÉRER QUELQUE CHOSE

Ça me/te/vous/... dit de/d' + INFINITIF

Ça ne me dit rien de visiter *un musée.*

Ça te dit d'aller *en boîte ?*

Ça vous dit de voir *un film ?*

- ● ***Ça te dit de manger*** *un couscous ?*
- ❍ *Non,* ***ça me dit*** *rien du tout.*

(Et) Si on + IMPARFAIT ?

Et si on	**allait** au cinéma ce soir ? **mangeait** au restaurant ? **regardait** un film à la télé ? **allait** en boîte ?

AVOIR ENVIE DE

Avoir envie de sert à exprimer un désir.

J'ai envie de *danser / vacances.*

ACCEPTER OU REFUSER UNE PROPOSITION OU UNE INVITATION

Vous acceptez : **Volontiers !**
D'accord !
Entendu !

Vous refusez poliment une invitation.

(Je suis) désolé/e, mais
je ne suis pas libre.
je ne suis pas là.
je ne peux pas.
j'ai beaucoup de travail.
je n'ai pas le temps.

FIXER L'HEURE D'UN RENDEZ-VOUS

- ***On se retrouve à quelle heure ?***
- ***À*** *vingt heures.*
- *D' accord.*

LES MOMENTS DE LA JOURNÉE ET L'HEURE

samedi (matin) / lundi (soir) / vendredi **à**
dix heures
dix heures cinq
dix heures **et quart**
dix heures vingt-cinq
dix heures **et demie**
dix heures trente-cinq
onze heures **moins** vingt
onze **moins le quart**
onze heures **moins** cinq

INDIQUER UN LIEU

- *Je vous recommande la pizzeria « Chez Geppeto ».*
- *Ah! oui,* ***c'est où ?***
- ***Tout près de*** *chez moi,* ***place*** *de la Claire Fontaine.*

Dans le sud/l'est/l'ouest/le nord **de** l'Espagne.
Au sud, au nord, à l'est, à l'ouest **de** Paris.
À Berlin
Au centre de Londres
Dans mon quartier
Pas loin de chez moi
(Tout) près de la fac / **du** port
(Juste) à côté de la gare/ **du** stade
Devant le restaurant L'eau vive
Sur la place du marché
À la piscine / **Au** Café des sports
Au 3, rue de la Précision

7. CE SOIR À LA TÉLÉ

A. À deux : regardez le programme de quatre chaînes de télévision. De quel type d'émissions s'agit-il ?

TF1	La 2	La 3	Canal +
20h30 **Le millionnaire** Ce soir deux candidats de la région parisienne vont s'affronter pour gagner des millions.	**20h55** **La CRIM** Suite de l'enquête de l'inspecteur Rive sur une étrange affaire d'enlèvement.	**20h55** **Thalassa** Escale au Pérou. Thalassa nous emmène ce soir sur les côtes du Pacifique pour découvrir Paracas : un oasis au milieu de la mer.	**21h00** **From Hell (2001)** Sur les traces de Jack l'éventreur, avec Johnny Depp.
21h40 **Le loftstory** Retransmission en direct de la vie au quotidien de nos 8 amis enfermés maintenant depuis 5 semaines dans une maison de la région parisienne. Qui devra s'en aller demain ?	**23h50** **Contre-courant** Les passagers clandestins. Notre envoyé spécial a filmé ces jeunes qui mettent leur vie en danger pour partir vers un avenir meilleur.	**00h55** **Le Journal et La Météo**	**23h15** **Championnat NBA** **02h30** **Tradition et Folk** Concert de l'Ensemble de musique traditionnelle tunisienne.

B. Est-ce que cette programmation ressemble à celle de la télévision dans votre pays ? Quelles émissions aimez-vous voir ?

- Moi, le jeudi soir, je regarde « Acoustic » sur TV5, c'est super !
- C'est à quelle heure ?

8. ON PREND RENDEZ-VOUS

À deux, imaginez que ce sont les activités proposées cette semaine dans votre ville. Mettez-vous d'accord pour en choisir une ensemble.

- Ça te dit d'aller voir « Matrix » dimanche ?
- Oui, à quelle heure ?
- À vingt heures.
- Ah non, c'est trop tard.
- Et à dix-sept heures trente ?

9. CE WEEK-END, ON SORT !

A. Imaginez qu'un ami vient passer le week-end dans votre ville. Vous pouvez lui recommander des lieux où aller ?

Lieux à visiter dans les environs :	Musées et monuments :
Endroits où manger :	Bars, pubs et discothèques :
Autres activités à faire :	

B. Comparez vos recommandations avec celles de deux autres camarades. Vous connaissez tous ces lieux ?

- La Pizzeria 4 Staggioni, c'est bien ?
- Oui, on y mange bien et c'est pas cher.
- Et c'est où ?
- Dans le centre, près de chez moi.

10. CHARLINE, RACHID ET SARAH

A. Charline, Rachid et Sarah cherchent des correspondants. Lisez les messages qu'ils ont laissés sur Internet. Est-ce qu'ils aiment faire les mêmes choses que vous ? Cherchez les points communs que vous avez avec eux et commentez-les avec un ou deux camarades.

- Rachid aime le football et moi aussi.
- Charline est comme moi, elle adore la musique.

Nom : Loiseau · **Prénom :** Sarah
Courriel : ssarah@mot.com

J'aimerais correspondre avec des jeunes qui, comme moi, aiment la nature (je fais de la randonnée et j'ai une super collection de scarabées). Je fais partie d'une association écologique et je veux devenir vétérinaire ou biologiste. J'aime aussi lire, surtout des romans de voyages (je suis une authentique fan de Jules Verne) et je rêve de voyager dans le monde entier.

Nom : Agili

Prénom : Rachid

Courriel : rachidagili@prop.com

Si tu aimes le football (je suis supporter du Paris Saint-Germain), le cinéma, (je fais des courts-métrages avec des copains) la B.D. (Obélix et Astérix, Tintin,Titeuf...) et les parcs de loisirs (j'en ai visité 5 jusqu'à présent), eh bien, je suis le correspondant idéal. Alors, j'attends ta réponse.

Nom :
Boudou

Prénom :
Charline

Courriel :
charline@wanadoo.fr

Salut, je suis une jeune Parisienne et je cherche des correspondants de tous pays. J'adore la musique (je joue de la guitare avec un groupe de copains) et les sports (natation, VTT, courses de motos). Je suis très ouverte, curieuse de tout et j'adore faire la fête entre amis.

B. Imaginez que ces trois jeunes viennent passer le week-end prochain dans votre ville. Est-ce qu'il y a des endroits que vous pourriez leur recommander en fonction de leurs goûts ? Est-ce qu'il y a actuellement des événements (spectacles, expositions, concerts, etc.) qui pourraient les intéresser ? Parlez-en avec deux camarades.

- *Sarah aime la nature. Elle pourrait visiter le Jardin botanique. Il y a...*

C. Votre école et celle de Charline, Rachid et Sarah ont organisé un échange. Ils arrivent vendredi soir ! Avec deux autres camarades, décidez lequel des trois vous voulez accompagner ce week-end puis mettez au point le programme.

D. Vous allez maintenant présenter oralement votre programme.

SAMEDI

8 ____________________

10 ____________________

12 ____________________

14 ____________________

16 ____________________

18 ____________________

20 ____________________

22 ____________________

DIMANCHE

8 ____________________

10 ____________________

12 ____________________

14 ____________________

16 ____________________

18 ____________________

20 ____________________

22 ____________________

11. DEUX GÉNÉRATIONS DE FRANÇAIS ET LEURS LOISIRS

A. Lisez ces deux petits textes à propos des loisirs de deux générations de Français. Est-ce que les 11-20 ans et les 25-35 ans se comportent de la même manière dans votre pays ? Est-ce qu'ils ont aussi de l'argent de poche ? Échangez vos impressions avec deux autres personnes.

B. Quel est votre âge ? Est-ce que vous appartenez à l'une de ces deux générations ? Si c'est le cas, est-ce que vous vous reconnaissez dans leur description ? Vous pouvez rédiger un petit texte où vous décrirez le mode de vie de votre génération dans votre pays.

LA GÉNÉRATION LOFT*

Ils ont entre 11 et 20 ans et, en 2002, ils représentent seulement 13,1% de la population française. Les amis ont, à leurs yeux, beaucoup d'importance. Cette génération s'exprime par SMS, visite les forums sur internet et « chate » avec des amis du monde entier rencontrés sur le réseau (Internet).

Les garçons comme les filles donnent beaucoup d'importance à leur look et faire du shopping est l'un de leurs loisirs préférés. En matière de mode, les garçons aiment les marques de sport et les filles achètent des marques peu chères qui leur permettent de changer de look fréquemment.

ARGENT DE POCHE

- Les 11-14 ans reçoivent en moyenne 17 euros d'argent de poche par mois.
- Les 15-17 ans disposent en moyenne de 46 euros par mois.
- Les 18-20 ont 99 euros par mois.

* Ce nom vient d'une émission de télé réalité « Loft story » où des jeunes gens devaient vivre pendant plusieurs mois enfermés dans un grand appartement ou loft.

LES TRENTENAIRES

Une nouvelle tribu est née. Ils ont entre 25 et 35 ans et ils mènent une vie professionnelle dure et trépidante. On les appelle aussi les « adulescents » (adulte + adolescent) parce qu'ils ont une famille, un travail et des responsabilités mais ils ne veulent pas vieillir. Ils aiment retrouver les sensations, les émotions et les jeux de leur enfance. Le week-end, ils vont à des soirées spéciales où ils chantent et dansent sur les airs de leur enfance tandis que sur les écrans géants, défilent des extraits de Goldorak, Capitaine Flam, Candy ou Casimir. La nostalgie de ces années-là est devenue un style de vie !

(10), 11, 12

12. TOUS LES JEUNES FONT LES MÊMES CHOSES ?

Écoutez ces interviews de trois jeunes provenant de trois pays différents. Notez, suivant le modèle du tableau ci-dessous, ce qu'ils font pendant leur temps libre.

	Quand ?	Quoi ?	Avec qui ?
1. Rebecca (Suisse)			
2. Valérie (Québec)			
3. Olivier (France)			

ANCRAGE

C'EST PAS MOI !

Nous allons mettre au point un alibi et justifier notre emploi du temps.

Pour cela nous allons apprendre à :

- raconter des événements en informant de leur succession dans le temps
- décrire un lieu, une personne, des circonstances
- demander et donner des informations précises (*l'heure*, *le lieu*, etc.)

Et nous allons utiliser :

- l'imparfait et le passé composé
- *d'abord, ensuite, puis, après, enfin*
- *avant* + nom, *avant de* + infinitif
- *après* + nom/infinitif passé
- *être en train de* (à l'imparfait)
- *se rappeler* au présent
- *il me semble que*
- le lexique des vêtements (couleurs et matières)
- la description physique
- les marqueurs temporels : *hier soir, dimanche dernier, avant-hier vers 11 heures trente...*

3

1. GRANDS ÉVÉNEMENTS

A. Regardez ces photos. De quels événements s'agit-il ?

LANCE ARMSTRONG A GAGNÉ SON SIXIÈME TOUR DE FRANCE ! ◯

◯

CHUTE DU MUR DE BERLIN : DES FAMILLES SE SONT RETROUVÉES DANS LA PLUS GRANDE ÉMOTION ◯

11 OSCARS POUR « LE SEIGNEUR DES ANNEAUX » : LE RECORD DE TITANIC ET BEN-HUR A ÉTÉ ATTEINT ! ◯

INCROYABLE ! ON A MARCHÉ SUR LA LUNE ◯

LE PRÉSIDENT FRANÇOIS MITTERRAND ET ÉLISABETH II ONT INAUGURÉ LE TUNNEL SOUS LA MANCHE ◯

CLONAGE : LA BREBIS DOLLY EST NÉE ◯

BECKHAM ET VICTORIA SE SONT MARIÉS ◯

B. C'était en quelle année ?

• 1969 • 1989 • 1994 • 1996 • 1999 • 2002 • 2004 • 2004

- ● Je pense que le Brésil a remporté la Coupe du Monde de football contre l'Allemagne en 2000.
- ○ Non, moi, je crois que c'était en 2002.

C. Vous rappelez-vous certains de ces événements ? Quel âge aviez-vous cette année-là ?

- ● Moi, en 1969, je n'étais pas né !
- ○ Moi non plus !
- ■ Moi, je me rappelle la Coupe du Monde de 2002. J'avais 12 ans.

D. Est-ce qu'il y a des événements sportifs, culturels, scientifiques ou autres qui vous ont marqué ? C'était en quelle année ?

2. UN BON ALIBI

Essayez de répondre : où étiez-vous ? Dans le tableau ci-dessous, voici quelques suggestions pour vous aider.

Où étiez-vous...

- dimanche dernier à 14 heures ?
- hier soir à 19 heures ?
- le 31 décembre à minuit ?
- le jour de votre dernier anniversaire à 22 heures ?
- avant-hier à 6 heures du matin ?
- ce matin à 8 heures 30 ?

(Moi) j'étais...

- en train de regarder la télévision.
- en train de prendre un bain.
- en train de manger.
- en train de dormir.
- en train d'étudier.
- en train de...

- en classe.
- chez des amis.
- en voyage.
- au cinéma.
- chez moi.
- au travail.

- avec un/e ami/e.
- avec ma femme/mon mari.
- avec ma famille.
- avec mon/ma petit/e ami/e.

- je ne me rappelle pas bien.
- il me semble que...
- je crois que...

- ● Moi, hier à 17 heures 20, j'étais chez moi en train de regarder la télévision.
- ○ Moi, j'étais au cinéma avec un ami.
- ■ Moi, je ne me rappelle pas bien, mais il me semble que...

3. LE COMMISSAIRE GRAIMET MÈNE L'ENQUÊTE

A. Voici un extrait d'un roman policier où le commissaire Graimet mène une enquête sur un vol qui a eu lieu la semaine dernière. Lisez ce dialogue entre le commissaire Graimet et l'un des témoins du *hold-up*. Pouvez-vous identifier les deux gangsters parmi ces cinq suspects ?

L'inspecteur Graimet allume sa pipe et commence à poser des questions :

– Alors, qu'est-ce que vous avez vu ?

– Eh bien, hier matin, à 9 heures, je suis allé à ma banque pour retirer de l'argent… Je faisais la queue au guichet quand…

– Il y avait beaucoup de monde ?

– Oui, euh, il y avait cinq personnes devant moi.

– Est-ce que vous avez remarqué quelque chose de suspect ?

– Oui, euh, juste devant moi, il y avait un homme...

– Comment était-il ?

– Grand, blond, les cheveux frisés.

– Comment était-il habillé ?

– Il portait un jean et un pull-over marron.

– Et alors ? Qu'est-ce qui était suspect ?

– Eh bien, il avait l'air très nerveux. Il regardait souvent vers la porte d'entrée.

– Bien, et qu'est-ce qui s'est passé ?

– Soudain, un autre homme est entré en courant et…

– Comment était-il ?

– Euh, eh bien il était plutôt de taille moyenne, roux, les cheveux raides… Il avait l'air très jeune. Ah ! Et il portait des lunettes.

– Et, à ce moment-là, qu'est-ce qui s'est passé ?

– L'homme qui était devant moi a sorti un revolver de sa poche et il a crié « Haut les mains ! C'est un hold-up ».

– Alors, qu'est-ce que vous avez fait ?

– Moi ? Rien ! J'ai levé les bras comme tout le monde.

12

B. Regardez les verbes employés dans ce dialogue, ils sont tous au passé mais ils sont conjugués à deux formes différentes. Vous pouvez les séparer en deux groupes ? Quelles remarques pouvez-vous faire sur leur construction ?

Vous avez vu	J'étais

C. Lisez de nouveau le dialogue et essayez d'expliquer à quoi servent l'une et l'autre forme verbale.

D. Pensez à l'un de ces personnages et décrivez-le à votre camarade qui devra deviner de qui il s'agit.

- *Il est plutôt grand, il a les cheveux raides... et il porte un blouson marron.*
- *C'est celui-ci !*

Il porte
- une veste
- un blouson
- un pull-over
- une chemise
- une cravate
- un pantalon
- un jean
- des chaussures
- une casquette
- des lunettes
- une moustache
- la barbe

Il a les cheveux
- courts
- longs
- raides
- frisés
- bruns
- blonds
- roux
- châtains

Il est chauve

Il a les yeux
- bleus
- verts
- noirs
- marron
- gris

Il est (plutôt)
- grand
- de taille moyenne
- petit
- gros
- mince
- maigre

4. FAIT DIVERS

A. Olivier Debrun a été victime d'un vol. L'agent de police qui l'a interrogé a pris des notes sur son carnet. Lisez ses notes, puis essayez avec un camarade d'imaginer ce qui est arrivé à Olivier Debrun.

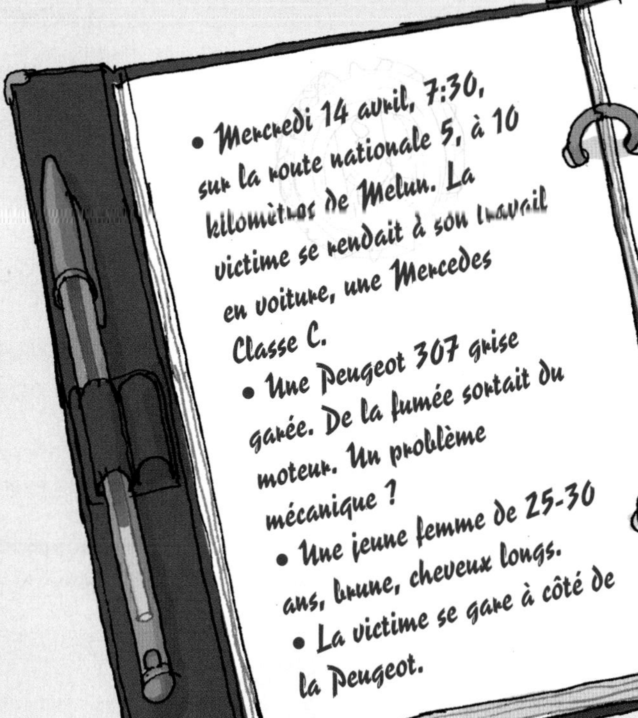

- Mercredi 14 avril, 7:30, sur la route nationale 5, à 10 kilomètres de Melun. La victime se rendait à son travail en voiture, une Mercedes Classe C.
- Une Peugeot 307 grise garée. De la fumée sortait du moteur. Un problème mécanique ?
- Une jeune femme de 25-30 ans, brune, cheveux longs.
- La victime se gare à côté de la Peugeot.
- Un homme d'environ 35 ans, grand, châtain, mal rasé apparaît et menace la victime avec une arme à feu.
- La femme demande les clefs de contact de la Mercedes, met le moteur en marche.
- Ils emportent son téléphone portable ; 3 cartes de crédit ; 200 Euros.
- Malfaiteurs partis en direction de Fontainebleau.

SOCIÉTÉ

Vol de voiture à main armée sur la N5

Mercredi matin, un homme a été victime d'un couple de malfaiteurs sur la nationale 5, près de Melun.

Olivier Debrun .... comme d'habitude quand il a vu .... arrêtée sur le bord de la route nationale 5 .... faisait signe aux automobilistes de s'arrêter. « .... raconte Olivier Debrun, alors j'ai pensé qu'elle avait un problème mécanique et je me suis arrêté pour l'aider. » À ce moment-là, le complice de la jeune femme, qui était caché dans la Peugeot, est sorti et a menacé la victime avec .... Olivier Debrun a été contraint de donner .... ainsi que .... , et .... qu'il portait sur lui.
Les deux complices se sont enfuis ....

B. Écoutez les déclarations de la victime. Est-ce que cela correspond à ce que vous aviez imaginé ? Maintenant, en vous appuyant sur les déclarations de la victime et sur les notes de police, complétez l'article ci-contre qui doit être publié dans la presse.

5. JE PORTAIS

A. Mettez-vous deux par deux. Vous rappelez-vous comment votre camarade était habillé à la classe précédente ?

● Je me rappelle que tu portais un pull-over bleu marine.
○ Non, pas du tout ! J'avais une chemise blanche !

B. Maintenant, individuellement, écrivez sur une feuille comment vous étiez habillé(e) à la dernière classe de français. Puis, donnez votre description anonyme au professeur qui l'affichera au tableau.

C. Formez des groupes de quatre personnes, lisez les descriptions au tableau et essayez de vous rappeler qui était habillé de cette manière. Le groupe qui a reconnu le plus de personnes a gagné.

6. CROYEZ-VOUS À LA RÉINCARNATION ?

Imaginez que vous vous souvenez d'une vie antérieure. Pensez à un métier d'autrefois, vous pouvez utiliser un dictionnaire ou demander à votre professeur. Ensuite, expliquez à tour de rôle comment vous étiez et ce que vous faisiez. Vos camarades doivent deviner de quel métier il s'agit.

- Je vivais en/au/à ....
- Je portais ....
- J'étais ....
- On me/m' respectait/aimait/craignait/écoutait ....
....
- J'avais ....
- Je faisais ....
- J'aimais ....

● J'étais un homme et j'habitais sur un bateau. Je portais un bandeau noir sur l'oeil et un perroquet sur l'épaule. J'étais féroce et on me craignait beaucoup...

7. DEVINEZ CE QU'IL A FAIT AVANT ET APRÈS !

A. Qu'est-ce que vous avez fait hier ? Complétez les phrases suivantes.

- Hier, avant de sortir de chez moi, je/j' ....
- Après le déjeuner, je/j' ....
- Aussitôt après avoir dîné, je/j' ....
- Juste avant de me coucher, je/j' ....

B. À deux, faites maintenant des suppositions sur ce que votre camarade a fait hier.

● Hier, avant de sortir de chez toi, tu as allumé ton portable ?
○ Non, avant de sortir de chez moi, j'ai bu un café.

L'IMPARFAIT

Pour former l'imparfait, on prend la base du présent à la première personne du pluriel et on ajoute les terminaisons de l'imparfait.

SE LEVER	
	je me lev**ais** [e]
	tu te lev**ais** [e]
	il/elle/on se lev**ait** [e]
	nous nous lev**ions** [iõ]
	vous vous lev**iez** [ie]
	ils/elles se lev**aient** [e]

ÊTRE:		
	j'**étais**	nous **étions**
	tu **étais**	vous **étiez**
	il/elle/on **était**	ils/elles **étaient**

L'imparfait situe une action dans le passé sans signaler ni le début ni la fin de l'action. Il sert à parler de nos habitudes dans le passé.

*À cette époque-là, elle **se levait** tous les matins à 6 heures.*

L'imparfait sert aussi à décrire une action en cours.

● *Que **faisiez-vous** samedi soir dernier ?*
○ *Moi, je **regardais** la télévision.*

Ou bien à décrire les circonstances qui ont entouré un événement.

*Il n'est pas venu en classe parce qu'il **était** malade et **avait** de la fièvre.*

LE PASSÉ COMPOSÉ

Le passé composé sert à raconter l'événement.

● *Qu'est-ce qui s'est passé ?*
○ *Deux malfaiteurs **ont attaqué** la banque.*

● *Qu'est-ce que **vous avez fait** hier soir ?*
○ ***Je suis allé** au cinéma.*

VOIR		ALLER	
j'**ai**	vu	je **suis**	allé/e
tu **as**		tu **es**	
il/elle/on **a**		il/elle/on **est**	
nous **avons**		nous **sommes**	allé/s/es
vous **avez**		vous **êtes**	
ils/elles **ont**		ils/elles **sont**	

Tous les verbes pronominaux (**se lever, s'habiller** etc.) et les verbes **entrer, sortir, arriver, partir, passer, rester, devenir, monter, descendre, naître, mourir, tomber, aller, venir** se conjuguent avec l'auxiliaire **être**. Dans ce cas, le participe s'accorde avec le sujet.

LES PARTICIPES PASSÉS

Il existe 8 terminaisons pour les participes passés.

-é → étudié	**-i** → fini	**-it** → écrit
-is → pris	**-ert** → ouvert	**-u** → vu
-eint → peint	**-aint** → plaint	

Attention à la place des adverbes !

*Il a **beaucoup** dormi.*
*Nous avons **bien/mal** mangé.*

EXPRESSION DE LA NÉGATION

*Je **ne** suis **pas** allé au cinéma.*

En français oral, **ne** disparaît souvent.

● *Et Pierre, il est **pas** venu ?*
❍ *Non, je l' ai **pas** vu.*

SITUER DANS LE TEMPS

Hier,
Hier matin,
Hier après-midi,
Hier soir,
Avant-hier,
— je suis allé au cinéma.

Ce matin,
Cet après-midi,
— j'ai fait de la gymnastique.

Dimanche, lundi, mardi... j'ai joué au football.
Vers 7:30
À 20:00 **environ**

LA SUCCESSION DES ÉVÉNEMENTS

***D'abord**, j' ai pris mon petit déjeuner.*
***Ensuite**, je me suis douché.*
***Puis**, je me suis habillé.*
***Après**, je suis sorti.*
***Et puis**, j' ai pris l' autobus.*
***Enfin**, je suis arrivé au travail.*

Un moment antérieur

Avant + NOM
***Avant les examens**, j' étais très nerveuse.*

Avant de + INFINITIF
***Avant de me coucher**, je me suis douché.*

Un moment postérieur

Après + NOM
***Après le déjeuner**, ils ont joué aux cartes.*

Après + INFINITIF PASSÉ
***Après avoir déjeuné**, ils ont joué aux cartes.*

8. « JE » EST MULTIPLE

Par groupes de quatre. Chacun réécrit les phrases ci-dessous sur une feuille, puis vous finissez la première phrase comme vous le souhaitez. Ensuite, vous pliez la feuille pour que l'on ne voie pas ce que vous avez écrit et vous la faites passer à votre voisin de droite qui complètera la 2e phrase, pliera la feuille et la fera passer à son voisin. La feuille doit circuler jusqu'à ce que le texte soit complet.

Samedi matin, à 8 heures, je/j' ....
Ensuite, je/j' ....
Après, vers 11h30, je/j' ....
L'après-midi, entre 14 heures et 16 heures, je/j' ....
et je/j' ....
Comme il faisait beau, je/j' ....
et puis je/j' ....
À 18 heures, je/j' ....
Enfin, je/j' .... C'était une bonne journée !

9. C'EST LA VIE ! - 14

A. Écoutez Damien qui raconte à une amie ce qui a changé dans sa vie depuis quelques années. Quels sont les thèmes dont il parle ? Notez-les dans le tableau ci-dessous dans leur ordre d'apparition.

LOISIRS | ASPECT PHYSIQUE | AMIS | LIEU D'HABITATION/LOGEMENT

Thèmes de conversation	Changement
① aspect physique	
②	
③	
④	

B. Écoutez de nouveau leur conversation et notez les changements dont parle Damien. À votre avis, ce sont des changements positifs ou négatifs ?

C. Maintenant, pensez à deux changements dans votre vie, complétez les phrases ci-dessous puis parlez-en avec deux autres camarades.

Avant .... Aujourd'hui, ...
Quand j'étais petit(e)/plus jeune, ...
Mais aujourd'hui, ...
Il y a .... ans, ... Mais aujourd'hui, ...
....

10. QU'EST-CE QUI S'EST PASSÉ ? 15

Écoutez cette information retransmise par une radio locale et remettez les dessins dans l'ordre chronologique.

11. INTERROGATOIRE

A. La police soupçonne certains membres de votre classe d'être les auteurs de cet étrange cambriolage. Elle veut les interroger à propos de leur emploi du temps, hier soir entre 19 heures et 23 heures. Divisez votre classe en deux groupes : un groupe d'enquêteurs et un groupe de suspects. Pendant que les enquêteurs, deux par deux, vont préparer un questionnaire, les suspects, deux par deux, vont élaborer leur alibi. Les éléments du tableau ci-contre peuvent également vous aider.

- Où étaient les suspects entre .... et .... ?
- Qu'ont fait les suspects entre .... et .... ?
- Comment étaient-ils habillés ?
- Où sont-ils allés après .... et avant .... ?
- Où ont-ils dîné ? Avec qui ?
- À quelle heure se sont-ils séparés ?
- Autres :

B. Chaque suspect est maintenant interrogé individuellement par un policier. Pour essayer de trouver des failles dans les alibis de vos suspects, vous pouvez leur demander de décrire des lieux, des personnes et les questionner sur de petits détails supplémentaires.

- ● *Où étiez-vous entre 19 heures et 23 heures ?*
- ○ *Je suis allée au restaurant.*
- ● *Avec qui ?*
- ○ *Avec Aleksandra ?*
- ● *Comment était le serveur ?*

C. Après les interrogatoires, les enquêteurs comparent les deux déclarations et décident si leurs suspects sont coupables ou non.

- ● *Aleksandra et Nadia sont coupables : Aleksandra dit qu'elle est allée avec Nadia au restaurant à 21 heures, mais Nadia affirme...*

12. GENTLEMAN OU CAMBRIOLEUR ?

A. Lisez ce texte. Comment imaginez-vous Arsène Lupin ? Et dans la littérature de votre pays, existe-t-il un voleur aussi connu que celui-ci ? Comment est-il ?

ARSÈNE LUPIN

Le personnage d'Arsène Lupin est né le jour où Pierre Laffitte, un grand éditeur qui venait de lancer le magazine *Je sais tout*, a demandé à Maurice Leblanc d'écrire une nouvelle policière dont le héros serait l'équivalent français de Sherlock Holmes. C'est donc dans ce contexte, en 1905, que le premier Arsène Lupin s'impose immédiatement. Il est en fait très différent de Sherlock Holmes. D'abord, ce n'est pas un détective, mais un brillant cambrioleur. Et tandis que Holmes a un côté obscur, dans la vie d'Arsène Lupin tout est clair. Il est de nature gaie et optimiste.

S'il y a eu une disparition ou un vol, on sait immédiatement que le coupable ne peut être qu'Arsène Lupin, ce vif, audacieux et impertinent cambrioleur qui se moque de l'inspecteur Ganimard. Il ridiculise les bourgeois et porte secours aux faibles, Arsène Lupin est, en quelque sorte, un Robin des Bois de la « Belle Époque ».

Il ne se prend pas au sérieux et n'a comme arme que les jeux de mots. C'est un anarchiste qui vit comme un aristocrate ; il n'est jamais moralisateur ; il ne donne pas son cœur à la femme de sa vie, mais aux femmes de ses vies. Il symbolise la double vie, la loi transgressée dans l'élégance et la séduction.

Les aventures de Lupin s'étalent sur seize romans, trente-sept nouvelles et quatre pièces de théâtre entre 1905 et 1939. Certains réalisateurs français ou étrangers ont porté le personnage du gentleman-cambrioleur à la télévision et au cinéma. Malgré les performances des acteurs, aucune des réalisations n'a pu rendre compte de l'essence du personnage. Les traits d'un acteur, quel qu'il soit, ne peuvent en effet incarner un personnage qui, justement, n'a pas de visage et que personne, si ce n'est son créateur, ne peut reconnaître. Arsène lupin est une figure sans traits physiques et qui ne peut exister finalement que par les mots, un personnage que chacun dans son imaginaire peut modeler à sa guise.

B. Écoutez cette chanson : elle raconte l'histoire de deux autres voleurs. Lesquels ?

Vous avez lu l'histoire
De Jesse James
Comment il a vécu
Comment il est mort
Ça vous a plus hein
Vous en d'mandez encore
Eh bien
Ecoutez l'histoire
De Bonnie and Clyde

Alors voilà
Clyde a une petite amie
Elle est belle et son prénom
C'est Bonnie
À eux deux ils forment
Le gang Barrow
Leurs noms
Bonnie Parker et Clyde Barrow

Bonnie and Clyde
Bonnie and Clyde

Moi lorsque j'ai connu Clyde
Autrefois
C'était un gars loyal
Honnête et droit
Il faut croire
Que c'est la société
Qui m'a définitivement abîmé

Bonnie and Clyde
Bonnie and Clyde

Qu'est-c' qu'on n'a pas écrit
Sur elle et moi
On prétend que nous tuons
De sang-froid
C'est pas drôl'
Mais on est bien obligé
De fair' tair'
Celui qui se met à gueuler

Bonnie and Clyde
Bonnie and Clyde

Chaqu'fois qu'un polic'man
Se fait buter
Qu'un garage ou qu'un'
banque
Se fait braquer
Pour la polic'
Ça ne fait d'myster'
C'est signé Clyde Barrow
Bonnie Parker

Bonnie and Clyde
Bonnie and Clyde

Maint'nant chaqu'fois
Qu'on essaie d'se ranger
De s'installer tranquill's
Dans un meublé
Dans les trois jours
Voilà le tac tac tac
Des mitraillett's
Qui reviennt à l'attaqu'

Bonnie and Clyde
Bonnie and Clyde

Un de ces quatr'
Nous tomberons ensemble
Moi j'm'en fous
C'est pour Bonnie que
je tremble
Quelle importanc'
Qu'ils me fassent la peau
Moi Bonnie
Je tremble pour Clyde Barrow

Bonnie and Clyde
Bonnie and Clyde

D'tout'façon
Ils n'pouvaient plus s'en
sortir
La seule solution
C'était mourir
Mais plus d'un les a suivis
En enfer
Quand sont morts
Barrow et Bonnie Parker

Bonnie and Clyde
Bonnie and Clyde

ANCRAGE

ÇA SERT À TOUT !

Nous allons mettre au point un produit qui facilitera notre vie.

Pour cela nous allons apprendre à :

- nommer et présenter des objets
- décrire et expliquer le fonctionnement d'un objet
- caractériser des objets et à vanter leurs qualités
- convaincre

Et nous allons utiliser :

- le lexique des formes et des matières
- les pronominaux passifs : *ça se casse, ça se boit...*
- quelques expressions avec des prépositions : *être facile à / utile pour, servir à, permettre de...*
- les pronoms relatifs *qui* et *que*
- le futur simple
- *grâce à...*
- *si* + présent
- *pour/pour ne pas/ pour ne plus* + infinitif

4

1. À QUOI ÇA SERT ?

A. Regardez ces objets. Vous savez comment ils s'appellent ?

- un grille-pain
- une machine à laver
- un ouvre-boites
- des lunettes de soleil
- un sac à dos
- un sèche-cheveux
- un casque de vélo
- un antivirus d'ordinateur
- une machine à calculer

B. À quoi servent ces objets ?

❍ Ça sert à ouvrir une boîte de conserve.
❍ Ça permet de laver le linge.
❍ Ça sert à calculer.
❍ Ça sert à griller le pain.
❍ C'est utile pour se protéger contre les virus informatiques.
❍ C'est utile pour se protéger la tête quand on roule à vélo.
❍ Ça permet de se sécher les cheveux.
❍ Ça sert à se protéger du soleil.
❍ C'est utile pour voyager.

C. Lesquels de ces objets n'utilisez-vous jamais et lesquels utilisez-vous souvent ?

- *Moi, je n'utilise jamais de sèche-cheveux.*
- *Moi si, je me sers souvent d'un sèche-cheveux.*

D. Regardez comment sont construits ces noms. Que remarquez-vous ? Pouvez-vous les classer selon leur structure ?

antivirus	ouvre-boites
sac à dos	casque de vélo

E. Est-ce que vous pouvez penser à d'autres mots construits de la même manière ? Cherchez dans le dictionnaire ou demandez de l'aide à votre professeur.

2. DES INVENTIONS QUI ONT CHANGÉ NOTRE VIE

A. Lisez cet article. Savez-vous en quelle année sont apparus ces objets ? **1925**, **1945**, **1953**, **1974**, **1981** ?

B. Lesquelles de ces inventions sont pour vous les plus utiles ? Qu'ajouteriez-vous à cette liste d'inventions qui ont changé notre vie ? Parlez-en avec un camarade.

7 INVENTIONS DU XXe SIÈCLE

Selon Roland Moreno, l'inventeur de la carte à puce, on ne peut pas créer à partir de rien. Toute nouveauté dépend de la capacité à associer deux concepts qui existent déjà. Par exemple, la plume pour écrire et la bille. C'est en observant des enfants en train de jouer aux billes que l'ingénieur Ladislas Biro a eu l'idée de mettre une bille à la pointe d'une plume. C'est comme ça que le stylo moderne est né !

L'ORDINATEUR PERSONNEL (PC)

L'ordinateur a profondément transformé la manière de communiquer, la manière d'apprendre et la manière de jouer. Il y a à peine deux décennies, pour acheter un billet d'avion ou de train, on était toujours obligé de se déplacer et les lettres d'Amérique mettaient des semaines à arriver. Aujourd'hui, grâce à un ordinateur connecté à Internet, vous pouvez écrire votre courrier et l'envoyer en quelques minutes, écouter des CD ou la radio, lire les informations, réserver un billet d'avion, consulter un médecin, acheter un livre ou une voiture sans bouger de chez vous.

LA CARTE À PUCE

C'est l'ingénieur français Roland Moreno qui a inventé la carte à puce. Autrefois, les gens n'avaient pas de compte bancaire et ils gardaient leur argent chez eux, sous le matelas ou dans une chaussette. La carte à puce a permis le développement de la monnaie électronique : télécartes, cartes bancaires, porte-monnaie électroniques. Aujourd'hui, qui n'a pas deux ou trois cartes à puce dans son portefeuille ?

LE RUBAN ADHÉSIF (SCOTCH)

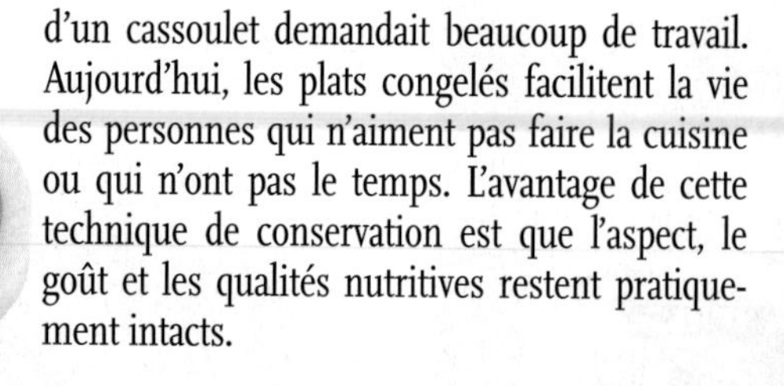

Avant l'invention du ruban adhésif, toutes les petites réparations étaient très compliquées et exigeaient l'intervention d'un spécialiste. Aujourd' hui, tout le monde se sert de ce ruban adhésif et imperméable. Grâce à lui, vous réparez vous-même et très facilement un livre déchiré, un robinet qui fuit, une boîte qui ferme mal…

LE STYLO BIC

Il a amélioré la vie des écoliers. Autrefois, les écoliers apprenaient à écrire avec une plume et un encrier. Le soir, ils rentraient chez eux couverts de taches d'encre sur leurs vêtements, sur leurs mains… L'apprentissage de l'écriture était bien plus difficile ! Le stylo bic a été une petite révolution. Ses avantages sont nombreux : il est léger, solide, facilement transportable, durable (il permet 3 kilomètres d'écriture !), propre et très bon marché.

LES PLATS SURGELÉS

Avant, la préparation d'un bœuf-bourguignon ou d'un cassoulet demandait beaucoup de travail. Aujourd'hui, les plats congelés facilitent la vie des personnes qui n'aiment pas faire la cuisine ou qui n'ont pas le temps. L'avantage de cette technique de conservation est que l'aspect, le goût et les qualités nutritives restent pratiquement intacts.

L'AVION

LES MOUCHOIRS EN PAPIER

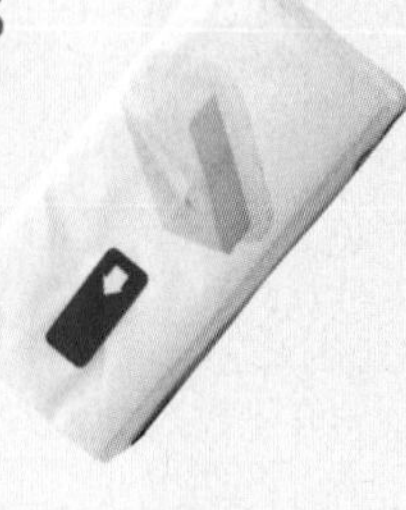

C. En quoi est-ce que l'avion et les mouchoirs en papier ont changé nos vies ? Avec un camarade, écrivez les textes correspondants.

3. JE CHERCHE QUELQUE CHOSE

A. Regardez ce catalogue de vente par correspondance. Vous avez déjà utilisé ces objets ? Vous croyez qu'ils peuvent vous être utiles ? Parlez-en avec un camarade.

● Tu as déjà utilisé un rasoir à peluches ?
○ Non, jamais, et toi ?

■ La bombe lacrymogène peut m'être utile, parce que je rentre souvent seule le soir et...

BOMBE LACRYMOGÈNE

Aérosol de défense hyper efficace. Son jet puissant neutralise tout agresseur sans risque pour l'environnement.

• Cont. : 75 ml

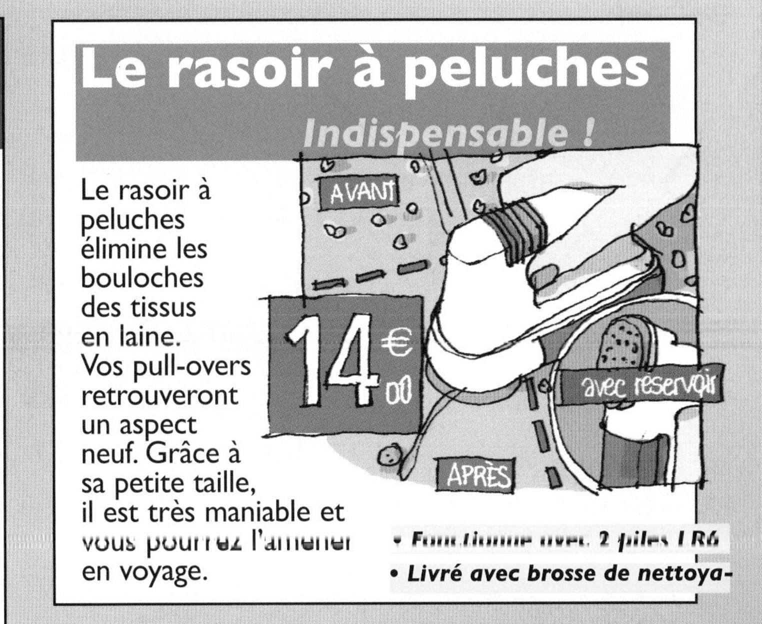

Le rasoir à peluches

Indispensable !

Le rasoir à peluches élimine les bouloches des tissus en laine. Vos pull-overs retrouveront un aspect neuf. Grâce à sa petite taille, il est très maniable et vous pourrez l'amener en voyage.

- *Fonctionne avec 2 piles LR6*
- *Livré avec brosse de nettoya-*

La tente randonnée

Seulement 30,34€ !

Grâce à cette tente particulièrement confortable, vous apprécierez les joies du camping. Entièrement doublée en polyester imperméable, son armature est en fibre de verre légère. Livrée avec sac de rangement.

- Environ 3 kg
- Dimensions: 250 x 150
- Convient pour 3 personnes

La brosse anti-peluches

Génial !

Pratique et efficace pour enlever les peluches, poils d'animaux, cheveux... Grâce à ses feuilles autocollantes, vos vêtements, canapés, fauteuils et tapis seront toujours propres !

B. Écoutez maintenant la conversation d'Emma avec un vendeur. Qu'est-ce qu'elle cherche ? Elle devra finalement acheter ce produit par correspondance. Vous pouvez remplir pour elle le bon de commande ?

BON DE COMMANDE

Quantité	Référence	Nom de l'article	Prix unitaire	Total
Frais de port et d'emballage :				7,50€
TOTAL				

4. C'EST UN OBJET QUI COUPE

Écoutez ces personnes qui jouent à deviner des objets. Numérotez les objets qui sont décrits. Ensuite comparez vos réponses avec deux autres camarades.

5. BINGO

A. Nous allons jouer au bingo par groupes de 4 personnes. Remplissez d'abord ce carton de jeu avec le nom de six objets que vous choisirez parmi ceux que nous vous proposons. Attention ! Écrivez au crayon pour pouvoir effacer ensuite.

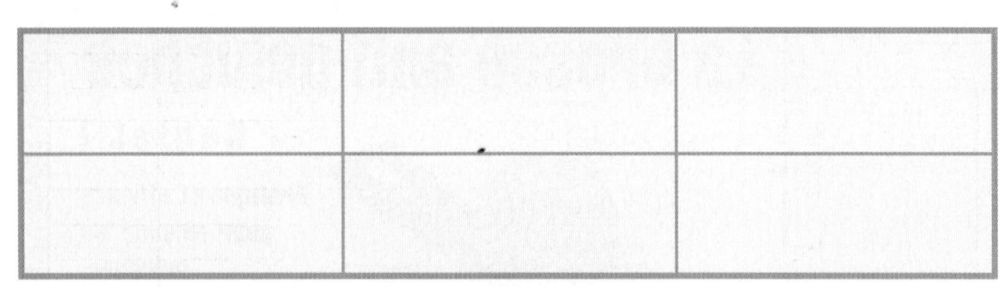

B. L'un de vous va décrire des objets : en quelle matière ils sont, quelles sont leurs formes, à quoi ils servent..., mais sans les nommer. Le premier qui a coché toutes ses cases gagne.

C'est en plastique, c'est rond et ça sert à écouter de la musique.

C. Vous allez jouer 4 fois de suite au bingo. À chaque fois, l'un de vous devra prendre le rôle du meneur de jeu.

DÉCRIRE UN OBJET

un sac ***en*** ***papier***
tissu
cuir
plastique

une boîte ***en*** ***carton***
bois
porcelaine
fer
verre

C'est ***petit.***
grand.
plat.
long.
rond.
carré.
rectangulaire.
triangulaire.
lavable.
jetable.
incassable.
imperméable.

Ça se *lave facilement.*
Ça s'*ouvre tout seul.*
Ça se *mange.*

Ça sert à *écrire.*
C'est utile pour *ouvrir une bouteille.*
Ça permet d'*écouter de la musique.*
Ça marche avec *des piles.*
de l'électricité.
de l'essence.

PRONOMS RELATIFS : QUI ET QUE

Qui remplace le sujet de la phrase qui le suit.

C'est un objet ***qui*** *permet de laver le linge.*
(= **l'objet** permet de laver...)

C'est une chose ***qui*** *sert à griller le pain.*
(=**la chose** sert à...)

Que remplace le complément d'objet direct de la phrase qui le suit.

C'est un objet ***que*** *vous portez dans votre sac.*
(=vous portez l'objet...)

C'est une chose ***que*** *l'on utilise pour manger.*
(=on utilise cette chose pour...)

LE FUTUR

Le futur sert à formuler des prévisions ou à faire des prédictions.

*Demain, il **fera** soleil sur tout le pays.*
*Dans 30 ans, nous **marcherons** sur Mars.*

Il sert aussi à faire des promesses.

*Demain, je **viendrai** te chercher à 16 heures.*
*Cet appareil vous **facilitera** la vie.*

Bientôt,
Demain,
***Dans** 5 jours/mois... nous serons plus heureux.*
Au siècle prochain,
Le mois prochain,
...

*« Il **fera** beau sur toutes les régions. »*

Verbes réguliers

	manger-	
je	**étudier-**	-ai
tu	**finir-**	-as
il/elle/on	**sortir-**	-a
nous	**manger-**	-ons
vous	**étudier-**	-ez
ils/elles	**écrir-**	-ont
	prendr-	

Verbes irréguliers

	ÊTRE	**ser-**	
je	AVOIR	**aur-**	-ai
tu	FAIRE	**fer-**	-as
il/elle/on	SAVOIR	**saur-**	-a
nous	ALLER	**ir-**	-ons
vous	POUVOIR	**pourr-**	-ez
ils/elles	DEVOIR	**devr-**	-ont
	VOIR	**verr-**	

GRÂCE À + SUBSTANTIF

***Grâce à** Internet,*
***à** la télévision,*
***au** téléphone,*
***à** l'ordinateur personnel,*
***aux** satellites de télécommunications,*
on se sent moins seul !

6. UN INVENTEUR ET SON INVENTION

A. Lisez le texte suivant. Vous savez de quelle invention il s'agit et quel est le nom complet de l'inventeur ?

Alexander G. B. est né en 1847 en Écosse. Spécialiste en physiologie vocale, il a imaginé un appareil **qui transmet** le son par l'électricité. Cette machine a beaucoup évolué depuis son invention. Aujourd'hui, c'est un **appareil qui fonctionne** à l'électricité ou bien avec des ondes. C'est un **appareil qui vous permet** de parler avec vos amis, votre famille... et **que vous transportez** facilement dans une poche.

B. Observez les phrases avec **qui** et **que.** Que remarquez-vous ? Est-ce que vous pouvez déduire quand on utilise **qui** et quand on utilise **que** ?

7. FUTURS POSSIBLES !

A. À votre avis, comment sera le futur ? Décidez si ces affirmations sont vraies ou fausses. Est-ce que vous pouvez faire deux autres prédictions pour l'avenir ?

	Vrai	Faux
En 2050, on partira en vacances sur Mars.		
Dans 30 ans, on traversera l'Atlantique sur un pont.		
En 2020, les enfants n'iront plus à l'école.		
Au siècle prochain, grâce aux progrès médicaux, nous vivrons 120 ans et plus.		
Bientôt, il n'y aura plus d'animaux sauvages en Afrique.		
Un jour, les voitures voleront.		
Dans 15 ans, l'eau sera aussi chère que l'essence.		
Dans 100 ans, il y aura des mutants.		
Dans deux siècles, les hommes n'auront plus de dents.		
Dans quelques années, nous mangerons des comprimés au lieu de produits frais.		
En 2090, les professeurs de français n'existeront plus.		

B. Comparez vos réponses avec deux autres camarades. Est-ce que vous voyez le futur de la même manière ?

- Je crois que dans quelques années les enfants n'iront plus à l'école, les cours seront...

C. Et vous-même, comment rêvez-vous votre futur ?

- Moi, dans 20 ans, j'aurai une grande maison hyper-moderne, totalement automatisée.
- ○ Eh bien moi, dans 5 ans, je parlerai parfaitement français !

8. JE VOUS LE RECOMMANDE !

Pensez à un objet que vous avez sur vous. À quoi sert-il ? Quels sont ses avantages ? Maintenant présentez cet objet à deux camarades, qui doivent deviner de quoi il s'agit.

- Alors... C'est un objet extrêmement pratique et très facile à...

9. UN PRODUIT QUI VA FACILITER VOTRE VIE

A. Le journal *Pratique* a mené une enquête pour identifier les petits problèmes quotidiens de ses lecteurs.
Lisez les différents témoignages et trouvez à quelle personne ils correspondent.

• Je porte des lunettes depuis l'enfance, ça ne me dérange pas. Mais quand je cuisine, la buée sur les verres me gêne, je dois les enlever pour les nettoyer sans cesse. C'est très agaçant. ( )

• J'adore lire et mon mari aussi, alors nous sommes envahis par les livres, nous n'avons toujours pas trouvé de système efficace pour les ranger. ( )

• Pour aller à la fac, je dois toujours transporter des kilos de livres et mon cartable est terriblement lourd à porter. Ma mère m'a offert un cartable à roulettes mais je me sens tellement ridicule avec ça ! ( )

• Devant ma maison, il y a un terrain plein de boue, et comme je dois entrer et sortir de chez moi plus de vingt fois par jour, je n'enlève pas mes bottes et salis le sol. ( )

• J'adore lire au lit mais c'est fatigant de tenir le livre et surtout de tourner les pages ! ( )

• J'aimerais avoir une cuisine moderne avec tous les robots et appareils électroménagers possibles mais ma cuisine est très très petite et je n'ai pas la place pour mettre un lave-vaisselle, par exemple. ( )

B. Lequel de ces problèmes voulez-vous résoudre ? Cherchez dans la classe d'autres personnes qui veulent résoudre le même problème que vous et mettez au point un produit original qui pourrait apporter une solution.

Nom du produit : ....

Description du produit : ....

....

....

Utilisateurs potentiels : ....

....

....

C. À présent, vous allez rédiger la page catalogue pour vendre votre produit par correspondance.

ANTISÈCHE

Exprimer la condition

Si + PRÉSENT, + IMPÉRATIF
Si vous voulez *un pull-over impeccable,*
utilisez *la brosse anti-peluches !*

Si + PRÉSENT, + FUTUR
Si vous étudiez *avec ce manuel, vous* ***parlerez*** *bien français !*

Exprimer le but

Pour ne pas + INFINITIF
Pour ne pas vous fatiguer, *utilisez l' ascenseur !*

Pour ne plus + INFINITIF
Pour ne plus penser *à vos problèmes, partez à Tahiti !*

Suffire (de)

Pour *nettoyer la brosse,* ***il suffit de*** *la passer sous l' eau.*
Pour *obtenir une surface brillante, un simple geste* ***suffit.***

10. LA PRÉSENTATION

Maintenant, vous allez présenter votre produit à toute la classe. Chaque fois qu'un groupe présente son produit, vous devez, individuellement, décider si ce produit vous semble utile et si vous voulez l'acheter.

CATALOGUE D'OBJETS INTROUVABLES

Jacques Carelman est né à Marseille en 1929. Il vit à Paris depuis 1956. Peintre, sculpteur, illustrateur, scénographe et totalement autodidacte, il utilise l'humour pour créer. Il est connu dans le monde entier principalement pour son *Catalogue d'objets introuvables*, publié en 1969 comme parodie d'un catalogue de vente. Ce catalogue est constitué d'une soixantaine d'objets de la vie quotidienne, originaux et même absurdes. Carelman est un enfant du surréalisme, mais un fils un peu dissident. En effet, tandis que les surréalistes voient les choses d'un point de vue plutôt irrationnel, Carelman contemple leurs côtés absurdes. Carelman fait figure de rebelle dans notre société de consommation car ses œuvres nous disent tout simplement que les objets de notre quotidien sont délibérément inutiles.

Carelman est aussi fondateur de l'OuPeinPo et régent du Collège de pataphysique. La pataphysique est la science des solutions imaginaires et des exceptions, étant donné que dans notre monde, il n'y a que des exceptions (la « règle » étant précisément une exception aux exceptions).

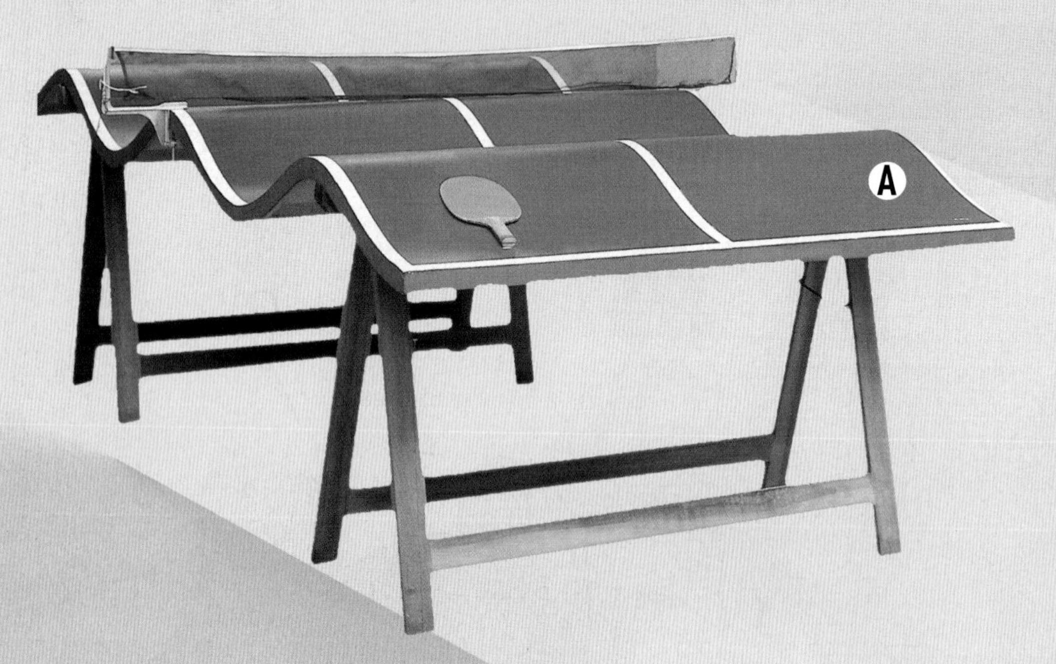

▲ **Table de Ping-Pong « Tous Azimuts »**

Grâce à sa forme, cette table augmente le plaisir du jeu : la balle fait des rebonds inattendus, comparables aux rebonds d'un ballon de rugby.

▼ **Cafetière pour masochiste**

Le dessin nous semble suffisamment explicite !

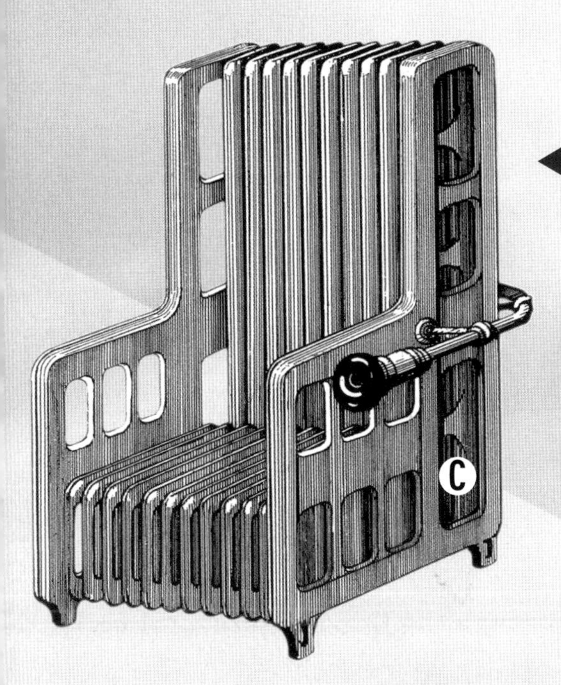

Fauteuil-radiateur

Se branche sans aucune difficulté sur n'importe quel chauffage central. Indispensable pour les frileux.

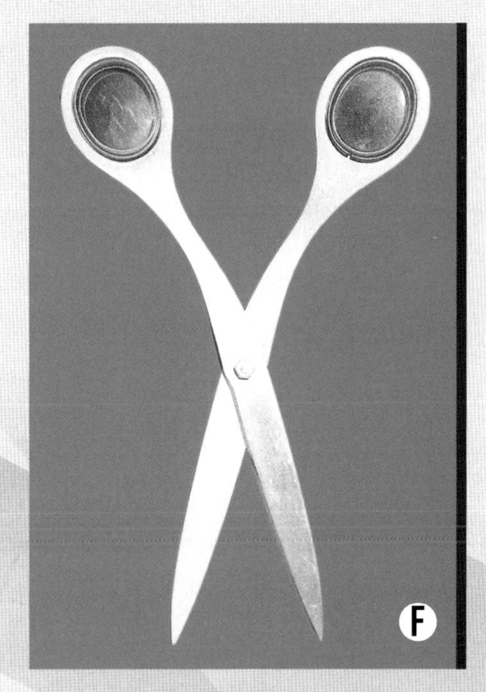

Paire de ciseaux optique

Permet aux personnes âgées de mieux voir quand elles cousent.

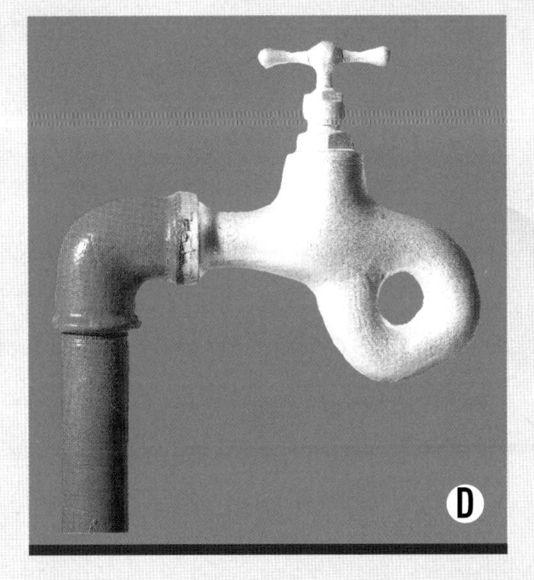

Robinet économique

Grâce à sa forme, il ne consomme pratiquement pas d'eau.

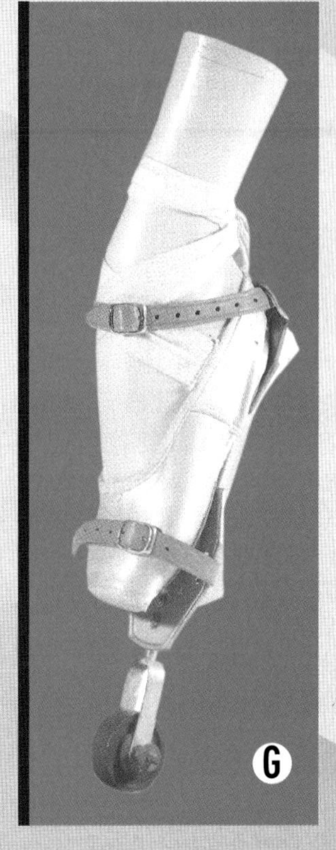

Patin à roulette pour danseuse classique

Il évite aux danseuses classiques désireuses de patiner, d'abîmer la cambrure de leurs pieds avec des patins ordinaires.

Parapluie familial

Un seul manche suffit à tenir les parapluies de toute la famille.

11. OBJETS INSOLITES

A. Parmi ces objets, lesquels vous plaisent le plus ? Pourquoi ?

B. À quels besoins ces objets prétendent-ils répondre ?

JE SERAIS UN ÉLÉPHANT

Nous allons élaborer un test de personnalité et préparer un entretien de recrutement.

Pour cela nous allons apprendre à :

- évaluer des qualités personnelles
- formuler des hypothèses
- choisir des manières de s'adresser à quelqu'un selon la situation et les relations entre les personnes
- comparer et justifier nos choix

Et nous allons utiliser :

- *avoir du, de la , des* + substantif
- *manquer de* + substantif
- l'hypothèse *si* + imparfait, conditionnel
- les pronoms compléments directs et indirects : *me, te, le, la, les, lui, leur*, etc.
- le tutoiement et le vouvoiement
- la comparaison

5

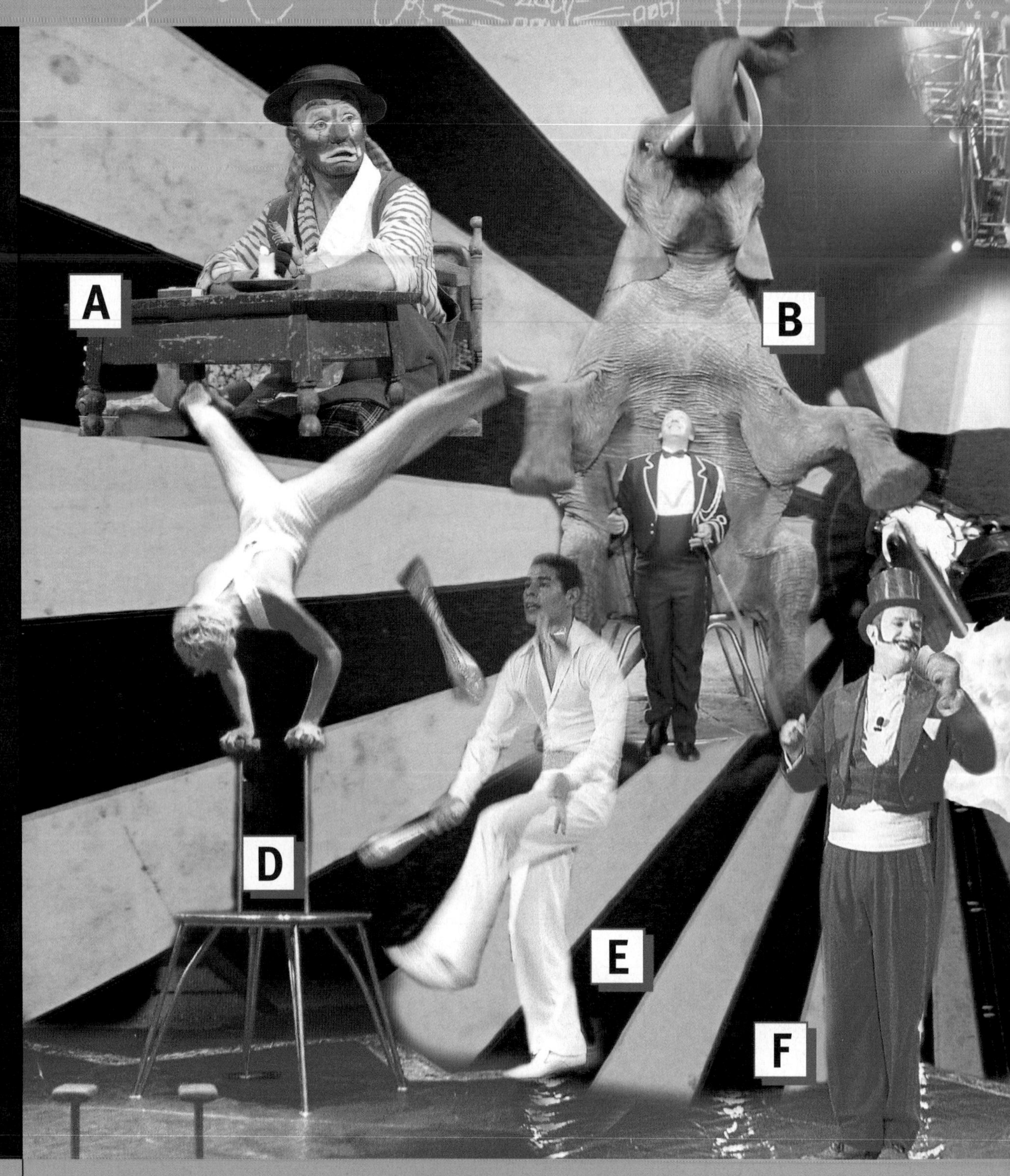

1. LE PLUS GRAND SPECTACLE DU MONDE

A. Regardez ces photos, vous pouvez identifier le métier de ces personnes ?

- ❑ des trapézistes ❑ un clown ❑ un présentateur
- ❑ un cracheur de feu ❑ un jongleur
- ❑ un équilibriste ❑ des acrobates
- ❑ un dresseur d'éléphants

B. À votre avis, quelles sont les qualités essentielles pour exercer ces métiers ?

Être
adroit / créatif / souple / agile / téméraire...

Avoir
de l'imagination / des réflexes / du sang-froid / un bon sens de la coordination / de l'équilibre / une grande capacité de concentration / une grande confiance en l'autre...

Ne pas avoir
le vertige / peur des animaux sauvages / peur du ridicule...

Aimer
les enfants / les animaux / le risque / faire rire / le contact avec le public...

Savoir
parler en public / se faire obéir par les animaux / raconter des histoires / jouer de la flûte...

- *Pour être clown, il faut aimer faire rire.*
- *Oui, et il ne faut pas avoir peur du ridicule.*

C. Lequel de ces métiers pourriez-vous exercer ? Lequel est-ce que vous ne pourriez pas faire ? Parlez-en avec deux autres camarades.

- *Moi, je crois que je pourrais être clown. J'aime bien faire rire et j'aime beaucoup les enfants.*
- *Moi, je ne pourrais pas ! Je manque totalement d'imagination et j'ai peur du ridicule.*

2. QUALITÉS ANIMALES ?

A. Les animaux sont souvent associés à certaines qualités ou à certains défauts. Vous savez quelles sont les associations que l'on fait en français ? Essayez de deviner !

fort		un agneau
rusé		une mule
malin		un singe
doux		une pie
têtu		une tortue
bavard	**comme**	un bœuf
lent		une limace
fainéant		une taupe
muet		un renard
myope		une carpe

B. Est-ce que l'on fait les mêmes associations dans votre culture ? Est-ce qu'il y en a d'autres ?

3. ÊTES-VOUS SOCIABLE OU MISANTHROPE ?

A. Répondez à ce test puis, avec un camarade, comparez vos réponses. Lequel d'entre vous est le plus sociable ? Pourquoi ?

- Moi, je pense que tu es plus sociable que moi parce que tu as choisi l'agneau comme animal...

SOCIABLE OU MISANTHROPE ?

1. Vous bloquez la rue avec votre voiture et un automobiliste klaxonne...
A. Vous lui souriez sans bouger.
B. Vous vous excusez et vous partez immédiatement.
C. Vous l'ignorez complètement.

2. Quel animal aimeriez-vous être ?
A. Un chimpanzé.
B. Un ours.
C. Un agneau.

3. Un ami vous a appelé, vous étiez absent...
A. Vous attendez qu'il rappelle.
B. Vous l'appellerez après dîner.
C. Vous le rappelez immédiatement.

4. Si vous deviez partir vivre ailleurs vous iriez à...
A. New York.
B. Oulan-Bator en Mongolie.
C. México.

5. Un touriste vous demande son chemin...
A. Vous répondez « *Sorry, I don't speak English* ».
B. Si vous avez le temps, vous l'accompagnez jusqu'à sa destination.
C. Vous lui recommandez de prendre un taxi.

6. Si vous ne deviez pas travailler, qu'est-ce que vous feriez ?
A. Vous iriez tous les soirs en boîte.
B. Vous iriez vivre dans un petit village perdu.
C. Vous feriez du bénévolat dans une ONG.

7. Si vous vous inscriviez à une activité de loisir, ce serait...
A. Du basket-ball.
B. De la natation.
C. De la salsa.

8. Si vous pouviez vivre la vie d'un personnage de roman, qui aimeriez-vous être ?
A. Robinson Crusoé.
B. D'Artagnan.
C. Arsène Lupin.

9. Si vous invitiez cinq personnes à dîner ce soir et qu'il vous manquait trois chaises, qu'est-ce que vous feriez ?
A. Vous iriez demander trois chaises à un voisin.
B. Vous organiseriez un buffet froid.
C. Vous annuleriez le repas et passeriez la soirée seul(e).

10. Si vous voyiez un aveugle sur le point de traverser un carrefour dangereux, qu'est-ce que vous feriez ?
A. Vous l'observeriez pour intervenir si c'était nécessaire.
B. Vous le prendriez par la main pour l'aider à traverser.
C. Vous penseriez qu'il doit être habitué à traverser ce carrefour et vous continueriez votre chemin.

B. Faites vos comptes. Si vous obtenez le même nombre de réponses pour deux symboles, cela signifie que votre personnalité oscille entre deux portraits.

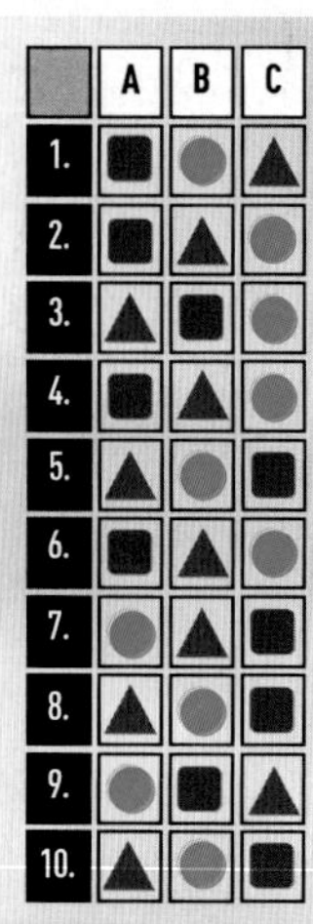

	A	B	C
1.	■	●	▲
2.	■	▲	●
3.	▲	■	●
4.	■	▲	●
5.	▲	●	■
6.	■	▲	●
7.	●	▲	■
8.	▲	●	■
9.	●	■	▲
10.	▲	●	■

Vous avez une majorité de ●

Sociable et généreux !

Vous êtes quelqu'un de très sociable. Vous êtes toujours attentif aux besoins des autres et vous avez bon caractère. Par contre, vous manquez d'agressivité et certaines personnes autour de vous ont tendance à abuser de votre gentillesse.

Vous avez une majorité de ■

La société représente pour vous le confort !

Vous êtes sociable par intérêt. En effet, vous préférez les avantages que vous offrent la vie en société et vous êtes quelqu'un de fondamentalement urbain. Pas question pour vous de vous exiler au fond de la forêt amazonienne, car vous pensez que vous n'avez rien à y faire.

Vous avez une majorité de ▲

Vous manquez de confiance en la société !

Vous avez une tendance misanthrope. Vous avez besoin d'être seul pour vous détendre réellement et être capable d'affronter le stress de la vie en société. Vous n'avez pas le sens de l'humour et vous vous sentez parfois attiré par les expériences mystiques.

4. INTRIGUES AMOUREUSES

A. Voici deux extraits de roman-photo. Des phrases manquent, à vous de les identifier pour compléter les dialogues. Ensuite, écoutez et vérifiez.

a. Asseyez-vous, je vous en prie !
b. Mais asseyez-vous donc !
c. Entrez, je vous en prie !
d. Je te présente ma collègue.
e. Ben, entre !
f. Assieds-toi, si tu veux.
g. Entrez, entrez !

Bonjour! .... Vous avez trouvé sans problèmes ?

Oui, tes indications étaient très claires.

B. Quand est-ce qu'on dit **vous** ? Cochez les bonnes réponses.

Quand on parle...

❑ à plusieurs personnes à la fois.	❑ à un ami.	❑ à quelqu'un de notre famille.
❑ à une personne que l'on ne connaît pas.	❑ à une personne âgée.	❑ à un camarade de classe.
❑ à une personne avec qui on a des contacts superficiels (un voisin, un commerçant...).	❑ à un supérieur hiérarchique.	❑ à un collègue de même niveau hiérarchique.
	❑ au professeur.	❑ aux parents de son/sa petit/e ami/e.

5. DEVINETTES

A. Lisez ces phrases, savez-vous ce qu'elles définissent ?

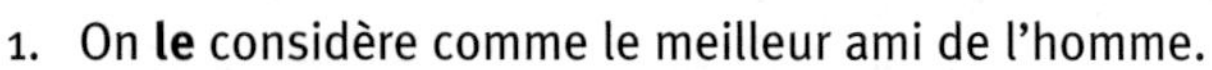

1. On **le** considère comme le meilleur ami de l'homme.
2. On **la** change deux fois par an.
3. On **les** ouvre le matin et on **les** ferme le soir.
4. On **lui** écrit pour avoir des cadeaux.
5. Les marins sont perdus s'ils **les** entendent chanter.
6. On **leur** offre un cadeau en mai.
7. On **leur** envoie des messages sans savoir s'ils existent.
8. Les enfants **lui** confient leurs dents de lait quand elles tombent.

B. Observez les pronoms en caractère gras dans les devinettes. Pouvez-vous compléter le tableau suivant ? Quelle différence observez-vous entre les compléments d'objet direct (COD) et les compléments d'objet indirect (COI) ?

COD	le	MASCULIN SINGULIER	On considère le chien comme le...
	la		
		MASC. ET FÉM. PLURIEL	
COI	lui		

C. Avec un camarade, faites correspondre les termes suivants avec leur définition : **les enfants, la Terre, la télévision, l'eau, les amis, l'amour, l'Univers**. Utilisez le pronom qui convient.

- On le
- On la
- On les
- On lui
- On leur

attribue 4,5 milliards d'années : ....
demande souvent des conseils : ....
croit en expansion : ....
raconte des histoires avant de dormir : ....
cherche toute la vie : ....
regarde en moyenne 2 heures par jour : ....
doit la vie : ....

6. TROIS ANIMAUX

Voici un test (très sérieux). D'abord, réfléchissez pour y répondre, puis parlez-en avec un camarade. Après, votre professeur vous donnera des clés afin d'interpréter vos réponses.

- Si vous étiez un animal, quel animal seriez-vous ? Pourquoi ?
- Si vous ne pouviez pas être cet animal, quel autre animal seriez-vous ? Pourquoi ?
- Si vous ne pouviez pas être ce deuxième animal, quel troisième animal seriez-vous ? Pourquoi ?

● Moi, si j'étais un animal, je serais un éléphant.
○ Pourquoi ?
■ Parce que les éléphants sont très forts...,
● Et si tu ne pouvais pas être un éléphant, qu'est-ce que tu serais ?

LES PRONOMS COD ET COI

Quand on parle de quelqu'un ou de quelque chose qui a déjà été mentionné ou bien est identifiable grâce au contexte, on utilise les pronoms compléments d'objet direct (COD) et compléments d'objet indirect (COI), afin de ne pas le répéter.

Le COD

Le COD représente la chose ou la personne sur laquelle s'exerce l'action exprimée par le verbe.

● *Tu regardes beaucoup **la télévision** ?*
○ *Non, je **la** regarde surtout le week-end.*

● *Tu écoutes **le professeur** quand il parle ?*
○ *Bien sûr que je **l'** écoute !*

Pour identifier le COD dans une phrase, on peut poser la question avec **quoi** ou **qui**.

*Tu regardes **quoi** ?* (**la télévision**)
*Tu écoutes **qui** ?* (**le professeur**)

Le COI

Le COI est la chose ou la personne qui reçoit indirectement l'action que fait le sujet. Il est introduit par une préposition.

● *Qu'est-ce que vous offrez **à Charlotte** pour son anniversaire ?*
○ *On **lui** offre un pull-over.*

● *Est-ce que tu as téléphoné **à tes parents** ?*
○ *Oui je **leur** ai téléphoné ce matin.*

Pour identifier le COI dans une phrase, on peut poser la question **à qui**.

*Tu as téléphoné **à qui** ?* (**à tes parents**)

Les pronoms COD et COI se placent normalement devant le verbe dont ils sont compléments.

● *Et ton travail ?*
○ *Je peux **le** faire demain.* ~~*Je le peux faire.*~~

● *Tu as parlé à Marie-Laure ?*
○ *Je vais **lui** parler ce soir.* ~~*Je lui vais parler.*~~

À l'oral, on utilise souvent les pronoms COD et COI avant même d'avoir mentionné l'élément auquel ils se réfèrent.

● *Alors, tu **les** as faits **tes devoirs** ?*

○ *Qu'est-ce que tu **lui** as acheté, à **maman** ?*

FAIRE UNE HYPOTHÈSE AU PRÉSENT

Pour exprimer une hypothèse au présent, on utilise la forme :

Si + IMPARFAIT, CONDITIONNEL PRÉSENT

- ● ***Si vous gagniez*** *beaucoup d'argent à la loterie, qu'est-ce que* ***vous feriez*** *?*
- ○ ***Je ferais*** *le tour du monde.*
- ● ***Si vous étiez*** *un animal, quel animal* ***seriez-vous*** *?*
- ○ *Moi,* ***je serais*** *un éléphant.*

LE CONDITIONNEL

Pour former le conditionnel, on prend la base du futur simple et on ajoute les désinences de l'imparfait :

ÊTRE	Futur	Conditionnel	
	ser-	je ser**ais**	[e]
		tu ser**ais**	[e]
		il/elle/on ser**ait**	[e]
		nous ser**ions**	[iõ]
		vous ser**iez**	[ie]
		ils/elles ser**aient**	[e]

AVOIR	→	**aur-**	
FAIRE	→	**fer-**	
SAVOIR	→	**saur-**	
ALLER	→	**ir-**	-ais
POUVOIR	→	**pourr-**	-ais
DEVOIR	→	**devr-**	-ait
VOIR	→	**verr-**	-ions
VOULOIR	→	**voudr-**	-iez
VENIR	→	**viendr-**	-aient
ÉTUDIER	→	**étudier-**	
AIMER	→	**aimer-**	
DORMIR	→	**dormir-**	

TU OU VOUS ?

Tu suppose une relation de familiarité et s'utilise pour parler aux enfants, aux membres de la famille, aux amis et, dans certains secteurs professionnels, aux collègues de même niveau hiérarchique. **Vous** s'utilise pour marquer le respect ou la distance. Les statuts des interlocuteurs ne sont pas toujours égaux et souvent l'un des interlocuteurs tutoie tandis que l'autre vouvoie. Quand des locuteurs francophones veulent passer au tutoiement, ils le proposent clairement.

- ● *On se tutoie ?*
- ○ *Tu peux me tutoyer, si tu veux.*

7. DANS LE DÉSERT

A. Vous allez entendre une histoire. Fermez les yeux et imaginez que vous partez en voyage, dans le désert du Sahara. En visualisant ce que l'on vous dit, répondez mentalement aux questions qui vous seront posées ou écrivez vos réponses en profitant de chaque pause. Votre professeur peut vous donner une fiche à remplir.

B. Maintenant, ouvrez lentement les yeux et regardez ce que vous avez écrit. Le professeur va vous donner des clefs pour interpréter vos réponses. Est-ce que vous êtes d'accord avec ces interprétations ? Parlez-en avec un camarade de classe.

8. SI C'ÉTAIT...

Vous connaissez le jeu du portrait ? Toute la classe va élaborer une liste avec 10 personnes connues de tous. Puis, individuellement, vous allez en définir une en répondant aux questions qui vous sont posées.

- Si c'était un animal, ce serait .... ?
- Si c'était un objet, ce serait .... ?
- Si c'était une profession, ce serait .... ?
- Si c'était une couleur .... ?
- Si c'était un pays .... ?
- Si c'était une pièce de la maison
- .... ?
- Si c'était ....

● *Si c'était un animal, qu'est-ce que ce serait ?*
○ *Si c'était un animal, ce serait un hippocampe.*

9. COMMENT RÉAGISSEZ-VOUS ?

Comment réagissez-vous dans les situations suivantes ? Comparez vos réactions avec celles d'un camarade.

Qu'est-ce que vous faites

- si vous trouvez un animal abandonné ?
- quand vous avez vu un film qui vous a beaucoup plu ?
- quand vous voyez un pantalon qui vous plaît dans une vitrine ?
- si un ami vous demande de lui prêter votre voiture/moto/vélo ?
- quand vos parents vous donnent un conseil ?
- si un ami a un problème ?
- si vous devez de l'argent à un ami/collègue... ?
- quand vous n'avez pas compris ce que le professeur vient d'expliquer ?
- quand vous n'aimez pas le livre que vous venez de commencer ?
- si on vous demande de garder un secret ?

● *Moi, quand j'ai vu un film qui m'a plu, je le recommande à mes amis.*
○ *Et bien moi, je le recommande à...*

10. NE TUTOYEZ PAS VOTRE INTERLOCUTEUR !

A. Cet article donne quelques conseils pour réussir un entretien de recrutement. En le lisant, vous découvrirez ce qu'il faut faire ou ce qu'il ne faut pas faire, dans cette situation. À votre avis, le comportement du candidat de la photo est-il adéquat ? Rédigez la règle correspondante !

B. Est-ce que ces règles sont valables dans votre pays ? Si vous découvrez des règles spécifiques à votre pays, rédigez-les.

- *Dans mon pays, on ne doit pas serrer la main de son interlocuteur.*

RÈGLES D'OR DE L'ENTRETIEN DE RECRUTEMENT

Tous les conseils pour réussir l'étape finale de votre recherche d'emploi : l'entretien de recrutement

Vous êtes jeune diplômé et vous allez vous présenter à votre premier entretien d'embauche ? Vous êtes étranger et vous cherchez du travail en France ? Voici les règles d'or de l'entretien de recrutement.

Sachez que la première impression que vous produirez sera déterminante. Alors, soignez votre apparence, soyez courtois et souriant. Montrez-vous sûr de vous mais pas arrogant. Faites attention à votre gestuelle et à vos mimiques. En effet, selon certaines études, 90% de la communication est constitué sur le langage non-verbal !

À éviter :

- Manquer de ponctualité.
- Négliger votre aspect vestimentaire.
- Vous approcher à moins de 90 centimètres de votre interlocuteur.
- Serrer mollement la main de votre interlocuteur (votre poignée de main doit être ferme).
- Prendre l'initiative : attendez que votre interlocuteur vous invite à vous asseoir.
- Fuir le regard de votre interlocuteur (regardez-le dans les yeux, mais sans le fixer).
- Lui proposer de vous tutoyer.

11. MÉTIER INSOLITE

A. Par groupes de trois, pensez à un métier peu courant (le professeur peut vous aider), puis définissez quelles sont, à votre avis, les qualités essentielles pour exercer ce métier.

- *Je propose « professeur de tai-chi ». Un professeur de « tai-chi » doit avoir de l'équilibre et un bon sens de la coordination...*
- *Moi, je propose souffleur au théâtre ou psychologue pour animaux.*

B. Maintenant, toujours en groupes, vous devez préparer un test (en trois exemplaires) : six à huit questions qui permettent d'identifier si une personne a les qualités requises pour exercer ce métier insolite. Attention : dans votre test, ne faites pas référence au métier auquel vous pensez ! Voici quelques exemples de questions.

1. **Lequel de ces trois objets aimeriez-vous être ? Pourquoi ?**
   a. une montre
   b. un vase
   c. un marteau

2. **Si vous deviez travailler ...., que feriez-vous ?**
   a. ....
   b. ....
   c. ....

3. **Aimeriez-vous travailler avec .... ?**

4. **Qu'est-ce que vous feriez si vous pouviez/alliez............... ?**

C. Vous êtes directeur/trice de ressources humaines et vous avez publié dans la presse une petite annonce de recrutement. À présent, chacun d'entre vous va simuler un entretien d'embauche. Vous allez interviewer une personne d'un autre groupe et noter ses réponses. Attention : ne révélez pas à votre candidat pour quel métier il postule !

ANTISÈCHE

- *Qu'est-ce que vous pensez de Yannick ?*
- *À mon avis, il manque de patience pour ce travail.*

COMPARAISON

*Lucien est **plus** patient que Philippe.*
*Vincent est **moins** dynamique **que** Nathalie.*
*Kevin est **aussi** sérieux **que** Sybille.*

*Paul a **plus/autant/moins** de patience que Luc.*

Martin aime la solitude.
***Par contre,** il ne supporte pas la chaleur.*

D. Maintenant, reformez le groupe d'origine et comparez les réponses que vous avez obtenues. Quel est le candidat que vous choisissez et pourquoi ? Ensuite, expliquez votre choix au reste de la classe.

- Nous choisissons Paul pour être ... parce qu'il est ... et aussi parce que ...

12. TRAVAIL, TRAVAIL

Légalement, une semaine de travail représente combien d'heures dans votre pays ? Cela vous semble-t-il beaucoup ? Peu ? Quels seraient les avantages et quels seraient les inconvénients si une loi comme celle des 35 heures en France était appliquée dans votre pays ?

TEMPS DE TRAVAIL ET TEMPS DE LOISIRS

Tout au long du vingtième siècle, de grandes lois sociales ont rythmé la vie des Français au travail. En 1906, le repos dominical est imposé et en 1919 on passe à la journée de 8 heures et à la semaine de 48 heures.

Mais la date qui reste dans la mémoire collective correspond à la loi sur les congés payés. Elle est associée au gouvernement du Front populaire. C'est en effet en 1936, sous le gouvernement de Léon Blum, que deux lois sociales instaurent la semaine de 40 heures et le droit pour tous les salariés à 12 jours de congés payés par an.

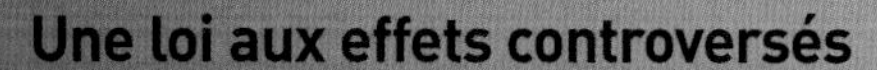

Une loi aux effets controversés

À partir de 1982, on assiste à une augmentation du temps libre et le droit aux loisirs est finalement mieux respecté que le droit au travail. Cependant beaucoup de Français s'interrogent sur ce temps « libéré », car ils ont le sentiment que le niveau de stress au travail est supérieur. Pour beaucoup de gens, le travail est depuis toujours un moyen de donner un sens à la vie, et ils se demandent si le travail n'a pas été dévalorisé au profit des loisirs.

Avant la mise en application des 35 heures en 2000, les Français se montraient favorables à son principe. Actuellement, 28% des Français concernés par cette loi pensent qu'elle a diminué la qualité de leur vie quotidienne. La principale explication est l'accroissement de la pression exercée sur les salariés concernés, tant en matière de productivité que de flexibilité. Pourtant, dans la majorité des cas, le salaire antérieur a été maintenu. Les salariés ont peur aussi d'une baisse du pou-

1906	• Le repos dominical est imposé.
1919	• Passage à la journée de 8 heures et à la semaine de 48 heures.
1936	• les Français ont droit à 2 semaines de congés payés (réformes du Front populaire), semaine de 40 heures de travail.
1956	• 3ème semaine de congés payés.
1965	• 4ème semaine de congés payés.
1982	• 5ème semaine de congés payés, semaine de 39 heures et retraite à 60 ans.
2000	• application de la loi sur les 35 heures par semaine

voir d'achat compte tenu de la limitation des heures supplémentaires et de la modération des hausses de salaires. Enfin, cette loi n'a pas tenu ses promesses en matière de création d'emploi, d'où une grande déception de la part des salariés.

Travail « à la carte »

Les grands principes de la RTT (réduction du temps de travail) étaient de lutter contre le chômage, en acceptant de répartir davantage le temps de travail. Malheureusement, il semble qu'elle a accentué les inégalités entre, d'une part, les salariés qui travaillent moins et bénéficient de leur salaire antérieur et, d'autre part, les indépendants qui continuent de travailler beaucoup plus de 35 heures par semaine.

Finalement, les Français rêvent d'un travail et d'une retraite « à la carte » plutôt que d'un menu imposé.

(inspiré de Francoscopie 2003)

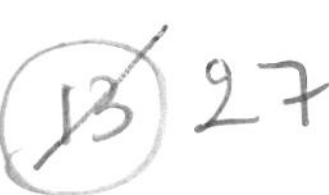

13. TRAVAILLER OU NE PAS TRAVAILLER ?

A. Vous allez écouter une chanson intitulée « Le travail c'est la santé », écrite par Boris Vian. Écoutez-la en lisant les paroles. Quelle est, selon vous, l'opinion de l'auteur sur le travail ? Mettez-vous d'accord avec votre camarade.

paroles : Boris Vian
musique : Henri Salvador

Le travail c'est la santé
Rien faire c'est la conserver
Les prisonniers du boulot
Font pas de vieux os

Ces gens qui courent au grand galop
En auto, métro ou vélo
Vont-ils voir un film rigolo ?
Mais non, ils vont à leur boulot
REFRAIN

Ils bossent onze mois pour les vacances
Et sont crevés quand elles commencent,
Un mois plus tard, ils sont costauds
Mais faut reprendre le boulot
REFRAIN

Dire qu'il y a des gens en pagaille
Qui courent sans cesse après l'travail
(faut être fou)

Moi, le travail me court après.
Il n'est pas près d'me rattraper! Ah ah ah
REFRAIN

Maintenant, dans le plus p'tit village,
Les gens travaillent comme des sauvages
(j'les ai vus)
Pour se payer tout le confort
Quand ils ont tout, ben, ils sont morts !
REFRAIN

B. En vous aidant des informations sur les congés payés des Français, pouvez-vous dire à quelle époque cette chanson a probablement été écrite ?

C. Y a-t-il des chansons sur le thème du travail dans votre langue ?

ANCRAGE

JE NE SUIS PAS D'ACCORD !

Nous allons organiser un débat sur la télé et en tirer des conclusions afin d'améliorer la programmation de la télévision.

Pour cela nous allons apprendre à :

- exposer notre point de vue et à le défendre
- prendre la parole
- reformuler des arguments
- utiliser des ressources pour le débat

Et nous allons utiliser :

- le subjonctif après les expressions d'opinion à la forme négative : *je ne crois pas que / pense pas que*
- *on sait que, il est vrai que... mais, par rapport à, c'est-à-dire, d'ailleurs, en effet, car, par conséquent, d'une part... d'autre part, même si, par contre*
- le pronom relatif *dont*

1. TÉLÉSPECTATEUR : UN PEU, BEAUCOUP, PAS DU TOUT ?

A. Quels types d'émissions préférez-vous regarder ?

- ❑ les journaux télévisés
- ❑ les documentaires
- ❑ les reportages
- ❑ les films
- ❑ les téléfilms, les séries et les feuilletons
- ❑ les dessins animés
- ❑ les jeux
- ❑ les émissions de télé réalité
- ❑ les débats télévisés
- ❑ les émissions culturelles
- ❑ les programmes pour enfants

● *Moi, je regarde les reportages ; c'est intéressant, ça permet de connaître d'autres pays, d'autres cultures. Et toi ?*
○ *Moi, je préfère les films, ça me relaxe.*

B. Le magazine *Télé pour tous* fait une enquête, répondez-y individuellement.

VOUS, TÉLÉSPECTATEUR

LES CHAINES	OUI	NON
Êtes-vous un/e adepte du zapping ?		
Avez-vous une chaîne préférée ?		
Si oui, laquelle ?		

LES JOURNAUX TÉLÉVISÉS	OUI	NON
Choisissez-vous votre journal télévisé en fonction du/de la présentateur/trice ?		
En fonction du point de vue adopté pour présenter l'information ?		

AVEC QUI ?	OUI	NON
Aimez-vous regarder la télé avec des amis ?		
Préférez-vous être seul(e) pour regarder la télé ?		

COMBIEN DE TEMPS?	
Combien d'heures par jour regardez-vous la télévision ?	
moins de 2 heures par jour	
entre 2 heures et 5 heures par jour	
plus de 5 heures par jour	

INFLUENCES	OUI	NON
La télévision modifie-t-elle votre façon de voir les choses ?		
Y a-t-il des émissions dont vous parlez avec vos amis ?		
Si oui, lesquelles ?		

TÉLÉ MANIAQUE	OUI	NON
Si vous avez des insomnies, vous mettez-vous devant le petit écran ?		
Quand vous ne savez pas quoi faire, regardez-vous la télévision ?		
Allumez-vous de manière systématique la télévision, même si vous ne la regardez pas nécessairement ?		
Mangez-vous devant la télévision ?		

C. Après avoir répondu au questionnaire, regardez vos réponses et comparez-les avec celles d'un camarade. Quel type de téléspectateur pensez-vous être ?

a. un « accro » de télévision
b. un amateur de télé
c. un antitélé

● *Moi, je suis un « accro » de télévision, je la regarde environ 3 heures tous les jours et je zappe beaucoup, et toi ?*
○ *Moi, ...*

EN CONTEXTE

2. TÉLÉ RÉALITÉ

A. Lisez ces deux opinions sur la télé réalité, puis retrouvez les arguments pour et les arguments contre la télé réalité et placez-les dans le tableau.

Catherine	Pour	Contre
Alex	**Pour**	**Contre**

La télé réalité ? Pour ou contre ?

Catherine Pasteur, peintre

Tout dépend de l'émission de télé réalité dont on parle. Prenons, par exemple, l'émission « Star Academy », l'école des jeunes chanteurs. Cette émission permet à de jeunes talents de perfectionner leur technique de chant et les finalistes peuvent enregistrer un ou plusieurs disques. Cette émission offre donc la possibilité à de jeunes talents de réaliser leur rêve.

Mais il y a aussi des émissions de télé réalité comme, par exemple, « Loft Story » où plusieurs personnes sont enfermées dans un appartement pendant trois mois. Dans ce type d'émissions de télé réalité, l'idée est toujours la même : des gens sont filmés dans leur quotidien et les spectateurs les regardent comme au zoo. Il n'y a aucune créativité, aucune esthétique.

Il est vrai que l'une des fonctions de la télévision est de distraire les téléspectateurs, mais quel est l'intérêt de regarder des gens qui se disputent ou qui parlent de leur intimité ? Je ne crois pas que cela soit une distraction saine.

Ce qui me choque aussi, c'est que le scénario de la plupart de ces émissions de télé réalité est écrit à l'avance. En effet, même si le téléspectateur a l'impression que tout est improvisé et naturel, il s'agit en réalité d'un montage. Tout est décidé à l'avance. On trompe le téléspectateur, on lui fait croire qu'il peut décider alors que c'est complètement faux.

En conclusion, je crois que ces émissions n'apportent rien au téléspectateur, elles n'ont qu'un but : faire gagner beaucoup d'argent aux producteurs et à la chaîne télévisée.

Alex Lecocq, psychologue

Pourquoi est-ce que la télé réalité remporte un tel succès auprès des téléspectateurs en France ? Probablement parce que la principale caractéristique de ces émissions est de présenter à l'écran des gens ordinaires avec lesquels les téléspectateurs s'identifient facilement.

C'est bien ou c'est pas bien ? D'un côté, cela représente une démocratisation de la télévision. Tout le monde peut passer à la télévision. Les émissions de télé réalité alimentent aussi les conversations : on en parle en famille, entre amis, avec les collègues et c'est une conversation qui ne provoque pas de conflits.

D'un autre côté, les protagonistes de ces émissions sont des personnes sans mérite particulier, qui deviennent rapidement riches et célèbres grâce à la télévision. Je pense qu'on peut y voir une justification de la médiocrité.

En conclusion, je ne crois pas qu'il faille condamner ce type d'émissions. L'une des fonctions de la télévision est de distraire le spectateur et ces émissions jouent bien ce rôle. Par contre, je crois qu'il faut limiter leur nombre. Il y a, actuellement, trop d'émissions de ce type et c'est plutôt la diversité à la télé qui est en danger.

B. Partagez-vous les opinions de Catherine et d'Alex ? Ajouteriez-vous d'autres arguments ? Commentez-le avec un camarade.

- *Je suis d'accord avec Alex. Moi aussi je pense que la télé réalité...*

3. LE PIERCING ET LES TATOUAGES

A. Lisez la transcription d'un débat radiophonique au sujet du piercing et des tatouages et ajoutez, là où ils manquent, les mots et expressions du tableau ci-dessous.

• **en tant que**	On situe une opinion à partir d'un domaine de connaissance ou d'expérience.
• **d'ailleurs**	On justifie, développe ou renforce l'argument ou le point de vue qui précède en apportant une précision.
• **il est vrai que... mais**	On reprend un argument et on ajoute une idée qui le nuance ou le contredit.
• **car**	On introduit une cause que l'on suppose inconnue de l'interlocuteur.
• **je ne partage pas l'avis de/d'**	On marque le désaccord avec l'opinion de quelqu'un.
• **par conséquent**	On introduit la conséquence logique de quelque chose.
• **on sait que**	On présente un fait ou une idée que l'on considère admis par tout le monde.

Présentateur : Evelyne Jamel, en tant que sociologue, que pensez-vous du phénomène du piercing et du tatouage chez les jeunes?

Evelyne Jamel : Le piercing comme le tatouage existent depuis très très longtemps dans certaines civilisations. En Afrique, en Océanie ou au Japon le piercing ou le tatouage sont des rites. Mais dans notre société, ils correspondent à deux phénomènes : **d'une part** c'est un phénomène de mode ; on porte un piercing ou un tatouage pour des raisons esthétiques.................................. beaucoup de piercings ou de tatouages sont de faux piercings ou de faux tatouages.

P. : Comment ça, de faux piercings et de faux tatouages !?

E. J. : Oui, **c'est-à-dire** qu'ils ne sont pas permanents.

P. : Et d'autre part *?*

E. J. : Eh bien, **d'autre part**, il s'agit d'un phénomène de contestation. C'est le mouvement punk qui les a mis à la mode il y a une trentaine d'années. C'est une façon de se révolter ou de montrer que l'on appartient à un groupe.

P. : Est-ce qu'il y a beaucoup de jeunes qui portent un tatouage ou un piercing ?

E. J. : En France, 8% des jeunes de 11 à 20 ans ont un piercing et 1% portent un tatouage.

P. : Albert Lévi, qu'en pensez-vous ?

Albert Lévi : Bien, ... médecin, je dois mettre en garde contre les risques du piercing ou du tatouage. Un piercing au nombril avant 16 ans n'est pas du tout recommandable .... les adolescents peuvent encore grandir et la peau peut éclater. Le piercing représente .... un risque pour la santé.

P. : Et est-ce que les tatouages sont moins dangereux ?

A. L. : C'est pareil. Le matériel de tatouage doit être parfaitement désinfecté et je ne pense pas que ces règles d'hygiène élémentaires soient toujours respectées.

P. : Donc, à votre avis, est-ce que ces pratiques devraient être interdites ?

A. L. : En effet, interdire pourrait être une solution.

P. : Evelyne Jamel, êtes-vous d'accord ?

E. J. : Mais non, pas du tout ! .... du docteur Lévi, **même si** ses inquiétudes par rapport à ces pratiques sont justifiées. .... le piercing ou le tatouage comportent des risques .... interdire n'est pas la solution. .... si l'on interdit à un adolescent de se faire un piercing, il s'en fera deux ! **Par contre,** les parents peuvent expliquer à leurs enfants les risques du piercing ou du tatouage et...

B. Maintenant, écoutez le débat et vérifiez vos réponses.

C. Les invités de l'émission utilisent, pour exposer et défendre leur point de vue, des expressions typiques en situation de débat. Elles sont en caractères gras dans le texte. Comprenez-vous à quoi elles servent ? Trouvez-vous des équivalents dans votre langue ?

4. TOUS CEUX DONT ON PARLE

A. Disposez des chaises en cercle. Chacun s'assoit sur une chaise sauf un élève qui reste au centre. Cet élève lit une des phrases suivantes ou en invente une. Ceux que la phrase concerne se lèvent et, le plus vite possible, essaient de se rasseoir sur une autre chaise. Celui qui est au milieu essaie aussi de s'asseoir. La personne qui reste sans chaise doit donner l'ordre suivant.

- Toutes les personnes dont les yeux sont marron/bleus... se lèvent.
- Toutes les personnes dont les chaussures sont noires/marron... se lèvent.
- Toutes les personnes qui ont des lunettes se lèvent.
- Toutes les personnes dont le prénom commence par D/L/M... se lèvent.
- Toutes les personnes qui portent un pantalon se lèvent.
- Toutes les personnes qui font de la natation se lèvent.
- Toutes les personnes dont les cheveux sont blonds se lèvent.
- Toutes les personnes dont le nom de famille comprend un S se lèvent.

B. Maintenant, observez les phrases avec **dont**. Comprenez-vous comment il s'utilise ?

5. D'ACCORD OU PAS D'ACCORD ?

A. Lisez ces phrases. Êtes-vous d'accord ?

- ❑ Tous les hommes sont égaux.
- ❑ Il y a beaucoup de différences entre les hommes et les femmes.
- ❑ Les voitures doivent être interdites dans les grandes villes.
- ❑ Tout le monde peut choisir ce qu'il veut faire.
- ❑ Les voyages forment la jeunesse.
- ❑ Les extraterrestres existent.
- ❑ La vie est plus facile pour les hommes que pour les femmes.
- ❑ Le français est plus facile que l'anglais.
- ❑ Les examens sont totalement indispensables.

● Moi, je ne crois pas que tous les hommes soient égaux...

B. Quand vous utilisez les expressions **je ne crois pas que** ou **je ne pense pas que**, quelles remarques pouvez-vous faire à propos du verbe qui suit ?

EXPRIMER SON POINT DE VUE

À mon avis,
D'après moi,
Je pense que
Je crois que

\+ INDICATIF
*Martin **est** un bon candidat.*

Je ne pense pas que
Je ne crois pas que

\+ SUBJONCTIF
*Martin **soit** un bon candidat.*

● ***Je pense que** le français est plus facile que l'anglais. Tu ne crois pas ?*
○ *Mais non! **Je ne pense pas** que le français **soit** plus facile...*

LE SUBJONCTIF

Le présent du subjonctif est construit à partir du radical du verbe à la troisième personne du pluriel du présent de l'indicatif (pour **je, tu, il** et **ils**) ainsi que des formes **nous** et **vous** de l'imparfait.

	DEVOIR
Ils **doiv**ent	que je doi**ve**
	que tu doi**ves**
	qu'il/elle/on doi**ve**
	qu'ils/elles doi**vent**
Nous **devions**	que nous **devions**
Vous **deviez**	que vous **deviez**

Les verbes **être, avoir, faire, aller, savoir, pouvoir, falloir, valoir** et **vouloir** sont irréguliers.

ÊTRE	AVOIR
que je **sois**	que j'**aie**
que tu **sois**	que tu **aies**
qu'il/elle **soit**	qu'il/elle **ait**
que nous **soyons**	que nous **ayons**
que vous **soyez**	que vous **ayez**
qu'ils/elles **soient**	qu'ils/elles **aient**

FAIRE
que je **fasse**
que tu **fasses**
qu'il/elle **fasse**
que nous **fassions**
que vous **fassiez**
qu'ils/elles **fassent**

LES CONNECTEURS

***On sait que** la télévision est un moyen de communication très important.*	On présente un fait ou une idée que l'on considère admis par tout le monde.
***En tant que** psychologue pour enfant, je dois dire que...*	On présente un point de vue à partir d'un domaine de connaissance.
***Par rapport à** la violence très présente dans les films, je trouve que...*	On signale le sujet ou le domaine dont on veut parler.
***D'une part**, les parents ne surveillent pas suffisamment leurs enfants, **d'autre part**...*	On présente deux aspects d'un sujet.
***D'ailleurs**, nous ne pouvons pas prétendre que la télé est coupable de...*	On justifie, développe ou renforce l'argument ou le point de vue qui précède.
***C'est-à-dire que** les parents et la société en général sont aussi responsables de l'éducation...*	On explicite en développant l'idée qui précède.
***En effet**, la télévision n'est pas la seule responsable de...*	On confirme et on renforce l'idée qui vient d'être présentée.
***Car** la violence est présente aussi dans d'autres aspects de la vie des enfants.*	On introduit une cause que l'on suppose inconnue de l'interlocuteur.
***Je ne partage pas l'avis de** M. Delmas.*	On marque son désaccord avec l'opinion de l'interlocuteur.
***Il est vrai que** les parents doivent surveiller leurs enfants, **mais** la télévision est un service public et...*	On reprend l'argument de l'interlocuteur et on ajoute une idée qui le nuance ou le contredit.
***Par contre**, certaines télévisions ne comprennent pas qu'elles ont un rôle...*	On introduit une idée ou un fait qui contraste avec ce qu'on a dit précédemment.

LE PRONOM RELATIF **DONT**

Dont peut être complément du nom.

- *Je connais un gars **dont** le père est animateur à la télé. (= son père est animateur)*

Il peut être aussi complément prépositionnel d'un verbe qui impose l'utilisation de la préposition **de**.

- *C'est une chose **dont** on parle souvent. (= on parle de la télévision)*

6. MESDAMES, MESSIEURS, BONSOIR !

A. Christian Laurier anime un débat télévisé. Il introduit chaque sujet grâce à une sorte de petite énigme. Écoutez ses introductions et notez les mots-clés que vous comprenez. Ensuite, avec un camarade, faites des hypothèses sur les sujets abordés. Voici des indices pour vous aider.

	Indice	Mots-clés	Sujet abordé
1.	C'est un moment dont nous rêvons toute l'année.		
2.	C'est un thème dont les Français se préoccupent beaucoup.		
3.	C'est un gaz dont la Terre a besoin pour se protéger contre les rayons du soleil.		
4.	C'est un engin dont on se sert trop.		

B. Avec un ou deux camarades, essayez à votre tour de préparer une petite introduction sur un sujet de votre choix. Puis lisez-la à voix haute. Vos camarades vont essayer de deviner quel sujet vous voulez introduire.

7. CHIEN OU CHAT ?

A. Par groupes de quatre, choisissez un des sujets suivants. Vous pouvez en ajouter d'autres si vous voulez. Dans le même groupe, deux d'entre vous vont prendre parti pour une option et les deux autres pour l'option contraire.

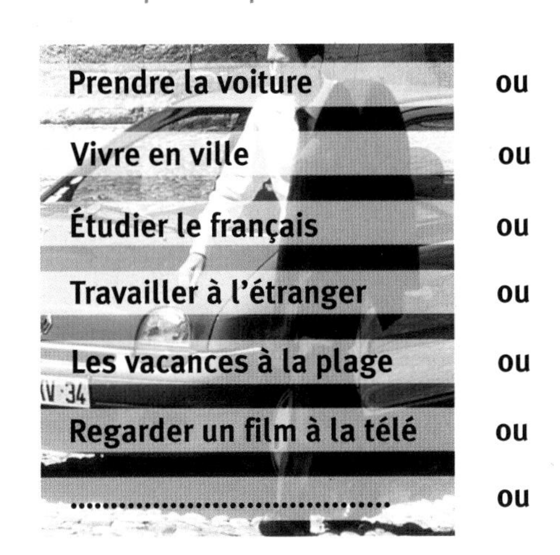

ou
ou
ou
ou
ou
ou
ou

B. Chaque binôme doit préparer son argumentation, et défendre brièvement son point de vue en réagissant aux opinions des autres.

- C'est vrai que les vacances à la montagne sont plus tranquilles que les vacances à la mer, mais ...

30

8. ON EN DISCUTE

Jean-Philippe Cuvier présente chaque semaine l'émission « On en discute ». Le thème abordé ce soir est « Pour ou contre la télévision aujourd'hui ». Écoutez-le présenter ses invités et complétez ces fiches de présentation avec l'argument principal de chaque invité.

TV 22

Coralie

- Lycéenne
- 18 ans

❑ pour / ❑ contre

- Argument :

....

....

TV 22

Pascal Lumour

- Association « Front de libération télévisuelle »
- 38 ans

❑ pour / ❑ contre

- Argument :

....

....

TV 22

Valérie Toubon

- Professeur de mathématiques, collège Henri IV à Poitiers
- 48 ans
- 22 ans d'expérience dans l'enseignement

❑ pour / ❑ contre

- Argument :

Les enfants passent trop de temps devant la télévision.

TV 22

Denis Lambert

- Psychologue pour enfants
- 52 ans

❑ pour / ❑ contre

- Argument :

....

....

9. ÊTES-VOUS POUR OU CONTRE ?

A. Que pensez-vous des différents arguments présentés par ces personnes ? Choisissez votre camp : pour ou contre, puis formez des groupes avec ceux qui partagent votre opinion. Vous pouvez ensemble ajouter de nouveaux arguments.

- Moi je suis plutôt d'accord avec Pascal Lumour, je trouve que...
- Moi aussi...

B. Maintenant, dans chaque groupe, préparez le débat. Justifiez vos points de vue et vos arguments en cherchant des exemples pris dans la programmation de la télévision de votre pays.

- Bon, nous pouvons dire, en tant que téléspectateurs, que les chaînes de TV nous semblent toutes pareilles, n'est-ce pas ?
- Oui, par, exemple, les émissions sportives sont toujours consacrées au football et au...

TV 22

Gérard Rhodes

- Cinéaste
- 28 ans

❑ pour / ❑ contre

- Argument :

Raymonde Pariot

- Sociologue et historienne
- 67 ans

❑ pour / ❑ contre

- Argument :

C. Vous allez ensuite débattre avec un autre groupe qui a choisi le camp adverse. Attention, vous devez tirer des conclusions et parvenir à un accord afin d'améliorer la qualité de la télé de votre pays en formulant une série de propositions.

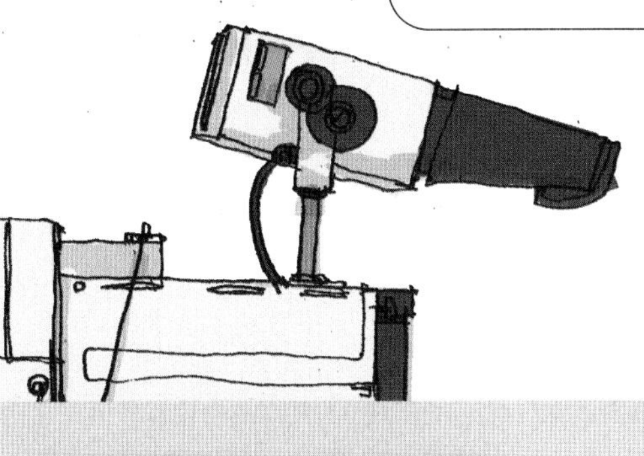

ANTISÈCHE

QUAND ON NE COMPREND PAS QUELQUE CHOSE OU QUAND ON VEUT DEMANDER DES EXPLICATIONS

Tu peux répéter/ Vous pouvez répéter, s' il te/vous plaît ?
Je ne comprends pas ce que tu dis/vous dites.
Pardon, mais je ne sais pas si j' ai bien compris.

QUAND ON NE SAIT PAS SI ON A ÉTÉ COMPRIS

Je ne sais pas si je me fais comprendre...
Tu vois/comprends ce que je veux dire ?
Vous voyez/comprenez ce que je veux dire ?

10. PROGRAMMES DU PETIT ÉCRAN

A. Voici quatre émissions emblématiques de la télévision française. Lisez le résumé de ces émissions. En avez-vous déjà entendu parler ? Laquelle ou lesquelles de ces émissions aimeriez-vous voir ?

THALASSA ⊃

Ce magazine existe depuis 1975. Il se compose de reportages divers et très complets, toujours en relation avec la mer. Chaque reportage est suivi d'un débat entre les présentateurs et des personnalités invitées sur le plateau.

⊂ DES CHIFFRES ET DES LETTRES

Ce jeu télévisé a été créé en 1965 et il s'est très vite popularisé car, d'emblée, les téléspectateurs ont pris le réflexe de jouer en même temps que les candidats. Cette émission s'est convertie en un véritable phénomène social et les grandes finales attirent de huit à douze millions de téléspectateurs. Plusieurs centaines de clubs existent en France et même à l'étranger. Le décor de l'émission est très sobre et inspire le calme. On n'entend ni rires, ni applaudissements, contrairement aux autres émissions de jeux. L'objectif du jeu est, d'une part, de découvrir le mot le plus long à partir de 9 lettres tirées au sort, et, d'autre part, de parvenir au chiffre annoncé en faisant diverses opérations de calcul.

FAUT PAS RÊVER

Cette émission a été créée en 1990 par Georges Pernoud (le créateur de l'émission THALASSA). On y découvre deux reportages tournés à l'étranger et un troisième tourné en France. Ces reportages sont souvent insolites. Par exemple, vous pouvez partager le quotidien d'une tribu du Kenya, découvrir comment on devient geïsha aujourd'hui, ou encore découvrir de surprenants accents régionaux en France. Après chaque reportage, une personnalité est invitée à réagir et à commenter ce qu'elle vient de voir.

DICOS D'OR ou LA DICTÉE DE PIVOT

Imaginez des millions de téléspectateurs, stylo en main, en train d'écrire la dictée lue par le célèbre présentateur Bernard Pivot. La dictée de Pivot est retransmise à la télévision chaque année depuis 1985 et elle remporte un succès énorme. En 2004, ce sont 15 000 adultes et 500 000 enfants qui se sont inscrits à ce concours télévisé d'orthographe française.

Les mots-valises

Que les Libanais se soient déjà adonnés par deux fois à la perverse jouissance de la dictée, n'étonne pas les Français. Ils savent, ne serait-ce que par des on-dit, que les Beyrouthins aiment et pratiquent la langue de La Fontaine, de Chateaubriand et de Mérimée, et qu'ils ne se sont jamais laissé décourager par les règles des participes passés des verbes pronominaux. Ils se sont entraînés à en déjouer les pièges. Ils se sont même amusés à conjuguer des verbes au subjonctif imparfait. Quel courage !

B. Avez-vous des émissions semblables dans votre pays ? Quelles sont pour vous les émissions les plus emblématiques de votre pays ?

ANCRAGE

QUAND TOUT À COUP...

Nous allons raconter des anecdotes personnelles.

Pour cela nous allons apprendre à :

- raconter au passé
- organiser les événements dans un récit
- décrire les circonstances qui entourent le récit

Et nous allons utiliser :

- l'imparfait, le plus-que-parfait et le passé composé dans un récit
- quelques marqueurs temporels : *l'autre jour, il y a, ce jour-là, tout à coup, soudain, au bout de, à ce moment-là, la veille, le lendemain, finalement*
- la forme passive

7

1. SOUVENIRS, SOUVENIRS

A. Jean-Paul nous montre son album de photos. Regardez les photos et, avec un camarade, retrouvez les titres qui, à votre avis, correspondent à chacune. Vous pouvez deviner où est Jean-Paul sur chaque photo ?

1. *Vacances en Bretagne*
2. *Tout bronzé au Brésil*
3. *Champions de la ligue, mon premier (et dernier) grand exploit sportif !*
4. *Dans le camion de tonton*
5. *Super chic pour le mariage de Denise*
6. *À trottinette, j'ai toujours aimé la vitesse !!*

B. Maintenant, écoutez Jean-Paul qui commente les photos. Pouvez-vous identifier certains membres de sa famille et dire quand et où la photo a été prise ? Notez vos réponses.

	AVEC QUI ?	QUAND / À QUEL ÂGE ?	OÙ ?
1			
2			
3			
4			
5			
6			

2. LES AVENTURES DE LA PETITE JO

A. Avez-vous organisé une course d'escargots quand vous étiez enfant ? C'est très facile ! Sur la liste ci-dessous, il y a tout ce qu'il faut. Avec un camarade, essayez d'imaginer comment ça s'organise.

- D'abord on marque chaque escargot.
- Oui, puis...

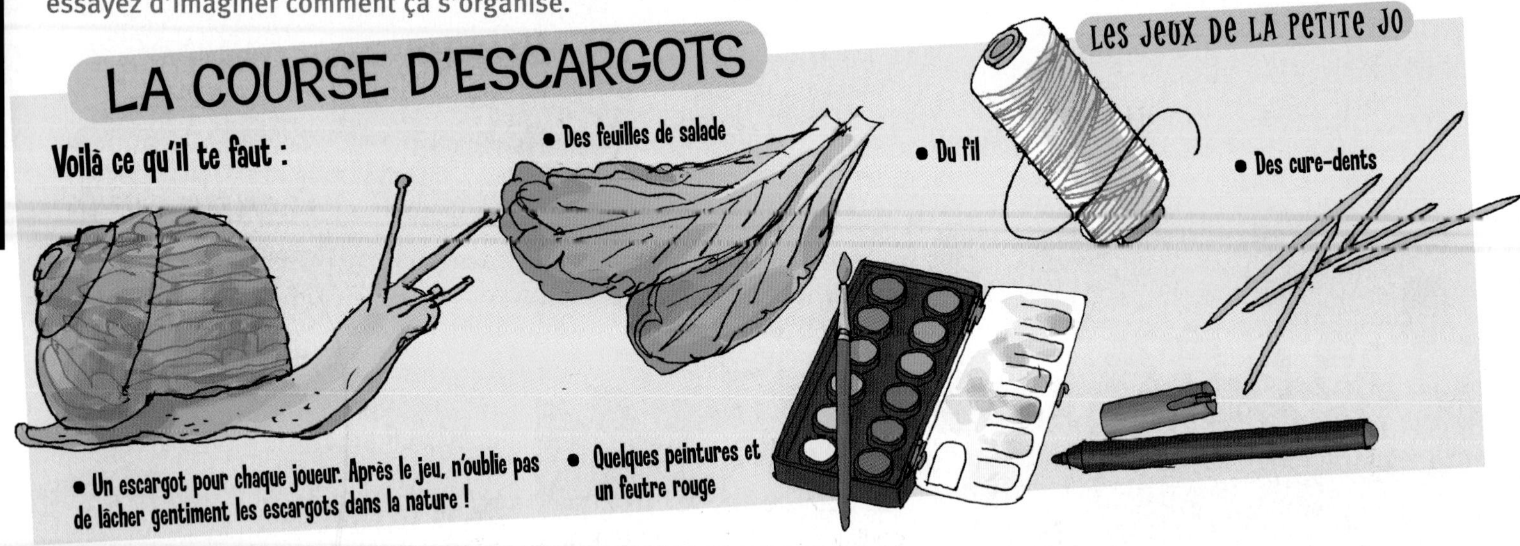

B. Lisez maintenant le récit de la Petite Jo. Est-ce que la course d'escargots s'organise comme vous l'aviez pensé ?

Lundi dernier, avec les copains, on est allé jouer derrière la maison du voisin. **C'était** le premier mai, alors on **n'avait** pas école. Là, **on a trouvé** beaucoup d'escargots. C'est vrai qu'**il avait plu** toute la nuit et les escargots adorent la pluie. Alors, **on a pris** quelques escargots et puis, avec tous les copains, Paul, Eric, Lulu et Frédo **on a organisé** une course d'escargots. C'est drôlement marrant les courses d'escargots. **On leur a peint** la coquille avec quelques peintures de différentes couleurs et **on a écrit** des numéros dessus,

puis **on les a tous placés** sur la ligne de départ. **On avait** chacun un cure-dents avec un fil et une feuille de salade attachée au bout du fil. Oui, parce que les escargots, ça aime beaucoup la salade ! **Ça a duré** des heures !!. 50 centimètres, c'est long, c'est drôlement long pour un escargot ! Finalement, **mon escargot a gagné** !!! **J'étais** drôlement contente car normalement je ne gagne jamais les courses d'escargots ! La dernière fois, c'est l'escargot de Paul qui **avait gagné** et, la fois d'avant, c'est celui de Lulu qui **avait gagné** !

C. La Petite Jo utilise trois temps du passé pour raconter son histoire. Ces verbes sont signalés en caractères gras. Est-ce que vous pouvez les distinguer ? À quels temps sont-ils ?

D. Quelles remarques pouvez-vous faire sur la construction du plus-que-parfait par rapport à l'imparfait et au passé composé ?

Le passé composé sert à raconter les événements successifs d'une histoire. L'histoire que la Petite Jo raconte se passe lundi dernier.

L'imparfait ne signale ni le début ni la fin d'une action et sert à expliquer les circonstances de l'histoire qu'on raconte.

Le plus-que-parfait sert à évoquer des événements qui se sont passés avant l'histoire qu'on raconte et qui sont utiles pour mieux comprendre cette histoire.

3. HISTOIRE D'UNE VIE

A. Lisez cette biographie de Mata-Hari. Vous trouvez qu'elle a eu une vie intéressante ?

LES FEMMES QUI ONT CHANGÉ L'HISTOIRE

Mata-Hari

Qui était Mata-Hari ?

Margaretha Geertruida Zelle, alias Mata-Hari, est née aux Pays-Bas. C'était la fille d'un marchand de chapeaux. À 19 ans, elle s'est mariée avec un militaire en poste sur l'île de Java. Après plusieurs années passées aux Indes néerlandaises, elle a divorcé et elle est partie vivre à Paris. C'étaient les années folles et, en ce début de siècle, Paris s'amusait, la ville était avide de modernité et de distractions. Mata-Hari se faisait alors passer pour une danseuse javanaise et Émile Guimet, un grand collectionneur d'art oriental, l'a invitée à danser dans son musée. C'est à lui qu'elle doit son nom de scène : « Mata-Hari » ce qui signifie « soleil levant » en javanais. Mata-Hari ne savait pas danser mais elle était belle et savait se déshabiller avec talent et mouvoir un long corps mince et bronzé. Le spectacle a eu un grand succès et Mata-Hari est partie danser ensuite à Madrid, à Monte Carlo, à Berlin, à Vienne... Elle y a fréquenté des aristocrates, des diplomates, des banquiers, des industriels, des militaires...

Quand la Grande Guerre a éclaté, Mata-Hari, a continué à voyager librement à travers l'Europe. Les services secrets français ont alors voulu profiter de son exceptionnelle facilité de déplacement et du fait qu'elle parlait plusieurs langues. Le capitaine Ladoux, chef des services du contre-espionnage, lui a demandé d'aller espionner le Kronprinz (le prince héritier de l'Empire allemand) dont elle avait fait la connaissance. Mais un peu plus tard, des télégrammes ont été interceptés ; ils apportaient des détails sur les déplacements de l'agent allemand H21, des détails qui correspondaient aux déplacements de Mata-Hari.

Cette année-là, la tension était très forte en France. La guerre durait depuis 3 ans et elle avait fait beaucoup de victimes. La société française inquiète, commençait à douter de la victoire et l'on voyait des espions partout. Les services secrets ont donc pris la décision d'arrêter Mata-Hari. Elle a été jugée rapidement et condamnée à mort par un tribunal militaire. Un jour d'automne, à l'aube, Mata-Hari a été conduite face au peloton d'exécution. Fière et le sourire aux lèvres, elle a refusé d'avoir les yeux bandés, quand l'officier a crié « feu », elle a envoyé, du bout des doigts, un dernier baiser. Elle avait seulement 41 ans.

L'histoire de France en quelques dates

- **481 :** Clovis, roi des Francs, conquiert la Gaule.
- **1661 :** Louis XIV devient roi de France.
- **1789 :** Révolution Française.
- **1804 :** Napoléon Bonaparte devient empereur et part à la conquête de l'Europe.
- **1870 :** La France et l'Allemagne entrent en guerre.
- **1871 :** Victoire de l'Allemagne.
- **1914 :** L'assassinat, à Sarajevo, de l'archiduc d'Autriche déclenche la Première Guerre Mondiale.
- **1918 :** Les États-Unis entrent en guerre aux côtés de la France, l'Angleterre et la Russie.
- **1939 :** La Grande Bretagne et la France déclarent la guerre à l'Allemagne qui suit une politique d'expansion en Europe.
- **1940 :** La France est contrôlée par l'Allemagne.
- **1944 :** Débarquement de Normandie.
- **1945 :** Libération de la France et défaite de l'Allemagne.
- **1957 :** la République Fédérale d'Allemagne, la Belgique, la France, l'Italie, le Luxembourg et les Pays-Bas créent la CEE.
- **2004 :** L'Union Européenne accueille sept nouveaux pays.

B. L'histoire de Mata-Hari est liée à l'histoire de la France. À quel moment de l'histoire se sont passés les événements racontés dans ce texte ?

C. Imaginez la phrase que Mata-Hari aurait pu dire en lançant son dernier baiser.

4. C'EST COMME ÇA, LA VIE

A. Séverine raconte dans un magazine ce qui lui est arrivé alors qu'elle était au restaurant avec un ami. Lisez ce texte et introduisez les marqueurs qui manquent.

• au bout de • finalement • l'autre jour • la veille • Le lendemain
• soudain • tout à coup

C'EST COMME ÇA, LA VIE

« Je ne comprenais pas pourquoi on m'apportait des fleurs»

Romantiques, drôles ou surprenantes, rien ne vaut les histoires vécues. Nous t'offrons cette page pour que tu puisses raconter les tiennes. Aujourd'hui, Séverine nous explique ce qui lui est arrivé alors qu'elle dînait au restaurant.

.............., je suis allée au restaurant avec mon ami parce que ...., j'avais terminé tous les examens et je voulais fêter ça. Nous sommes allés dans un restaurant assez chic dans mon quartier. Nous nous sommes installés et nous avons choisi notre menu. À la table à côté de nous, il y avait un couple. Nous en étions au dessert quand ...., le serveur est venu vers moi avec un grand bouquet de roses. Je ne comprenais pas pourquoi on m'apportait des fleurs et surtout qui me les envoyait. Alors, comme mon ami affirmait que ce n'était pas lui qui m'avait fait parvenir ce bouquet, nous avons commencé à nous poser des questions. J'allais appeler le serveur quand ...., un homme s'est dirigé vers moi avec un violon à la main. Mais avant même qu'il arrive jusqu'à moi, notre voisin de table furieux s'est levé et a dit au violoniste de venir devant la jeune femme qui l'accompagnait.

.... quelques minutes, le serveur est arrivé, très gêné. Il s'est excusé et m'a dit qu'il s'était trompé de table et que les roses étaient pour la dame de la table voisine.

.................., tout s'est arrangé.

.................., par hasard, j'ai croisé dans la rue notre voisin de table qui m'a invitée à prendre un café.

Séverine, Strasbourg

B. Vous allez écouter trois personnes qui commencent à raconter une anecdote. Comment croyez-vous que ces histoires finissent ? Parlez-en avec deux autres camarades.

C. Maintenant écoutez et vérifiez.

5. UN ÉVÉNEMENT ET SON CONTEXTE

A. En groupe, faites la liste de ce que chacun a fait de spécial récemment : des choses amusantes, importantes ou futiles, prévues ou imprévues... Précisez, si vous le pouvez, la date et l'heure.

- ● Samedi dernier, à midi, je suis allé manger chez un copain...
- ○ Mercredi soir, j'ai vu un match de football.
- ■ Ben moi, j'ai...

B. Maintenant, choisissez un de ces événements et expliquez certaines circonstances qui ont entouré cet événement.

- ● Samedi dernier, je suis allé manger chez un copain. C'était son anniversaire, sa mère avait fait un gâteau délicieux...

RACONTER UNE HISTOIRE, UN SOUVENIR, UNE ANECDOTE

Nous pouvons raconter une histoire sous la forme d'une succession d'événements au passé composé.

*Il **a versé** le café dans la tasse. Il **a mis** du sucre dans le café. Avec la petite cuiller, il **a remué**. Il **a bu** le café.*

Pour chaque événement, nous pouvons expliquer les circonstances qui l'entourent. On utilise alors l'imparfait.

*Il a versé le café dans la tasse. Il **était** très fatigué et **avait** très envie de prendre quelque chose de chaud. Il a mis du sucre, **c'était** du sucre brun...*

Pour parler des circonstances qui précèdent l'événement, on utilise le plus-que-parfait.

***Il avait mal dormi** et il était très fatigué, alors il a pris une bonne tasse de café. C' était du café brésilien **qu'il avait acheté** la veille.*

LE PLUS-QUE-PARFAIT

Pour former le plus-que-parfait d'un verbe, on met l'auxiliaire **être** ou **avoir** à l'imparfait et on le fait suivre du participe passé :

J'**avais**
Tu **avais**
Il/elle/on **avait**
Nous **avions**
Vous **aviez**
Ils/elles **avaient**
— **dormi**

Quand un verbe est conjugué avec l'auxiliaire **être**, il s'accorde en genre et en nombre avec le sujet.

*Cette année, Claire et Lulu sont parties en Italie, l' été dernier, elles étaient allé**es** en Espagne.*

SITUER DANS LE TEMPS

On peut raconter une anecdote, en la situant dans le passé, mais sans préciser quand.

***L'autre jour,** je suis allé à la plage avec des amis.*

On peut raconter une anecdote en la situant d'une manière plus précise dans le passé.

Il y a un mois environ,
Lundi dernier,
Samedi soir,
— *je suis allée au restaurant avec Louis.*

On peut introduire des circonstances qui entourent ou précèdent l'événement.

À cette époque-là, j' habitais dans le centre-ville.

*Lundi dernier je suis allée au centre-ville. **Ce jour-là,** il pleuvait des cordes.*

*Samedi soir, j' ai vu une chose étrange. **Ce soir-là,** j' avais décidé de faire une balade au bord de la rivière...*

Certains marqueurs temporels introduisent les circonstances qui ont précédé l'événement.

*La police a arrêté jeudi un homme qui, **quelques jours auparavant/deux jours avant/ la veille,** avait cambriolé la bijouterie de la place Tiers.*

D'autres marqueurs indiquent la durée entre deux événements.

*Ils se sont mariés en 2001 et, **au bout de** quelques années, Charline est née.*

D'autres marqueurs peuvent signaler le déclenchement d'un événement imprévu.

*J' étais en train de regarder la télé **quand soudain/tout à coup** la lumière s' est éteinte.*

Pour conclure le récit et indiquer la conséquence de l'histoire.

*Je me suis levée tard, le téléphone a sonné, ma voiture ne voulait pas démarrer. **Finalement,** je suis arrivée en retard.*

LA VOIX PASSIVE

Dans une phrase normale, à la voix active, le sujet du verbe fait l'action.

André Le Nôtre a dessiné les jardins de Versailles.

Dans une phrase à la voix passive, le sujet du verbe ne fait pas l'action.

*Les jardins de Versailles **ont été dessinés** par André Le Nôtre.*

La voix passive se construit avec **être** + participe passé. Le temps verbal est indiqué par l'auxiliaire **être** et le participe s'accorde en genre et en nombre avec le sujet.

*L' aéroport **sera dessiné** par Jean Nouvel.*
*L' église **a été dessinée** par un grand architecte.*
*Les ponts **sont dessinés** par des ingénieurs.*

6. PAR QUI ?

A. Vous savez qui a été acteur dans les événements suivants ? Travaillez avec un camarade.

La Bataille de Waterloo a été gagnée		le peuple français le 21 janvier 1793.
La guillotine a été inventée		Gutenberg vers 1440.
L'Amérique a été découverte		les frères Lumière en 1895.
La Joconde a été peinte		Alexander Fleming en 1928.
La Tour Eiffel a été construite		Jules Vernes en 1873.
Louis XVI a été guillotiné		Léonard de Vinci au seizième siècle.
La Bataille de Waterloo a été perdue	par	Gustave Eiffel au dix-neuvième siècle.
La Gaule a été conquise		Christophe Colomb au quinzième siècle.
La presse à imprimer a été créée		le duc de Wellington le 18 juin 1815.
« Le Tour du monde en quatre-vingts jours » a été écrit		Vincent Van Gogh en 1888.
La pénicilline a été découverte		Napoléon Bonaparte le 18 juin 1815.
Le cinéma a été inventé		Jules César au premier siècle avant Jésus Christ.
« Les Tournesols » ont été peints		Joseph Ignace Guillotin au dix-huitième siècle.

B. Observez comment ces verbes sont construits. Qu'est-ce que vous remarquez ?

7. LES TITRES À LA UNE

Par deux, vous allez jeter deux fois un dé ou choisir deux numéros entre 1 et 6. Chaque numéro renvoie à une moitié du titre d'un journal. Rédigez ensuite l'article correspondant.

① La célèbre Madame Soleil
② Un homme arrêté plusieurs fois pour infraction au code de la route
③ Le maire de la plus petite commune française
④ Un professeur de chimie à la retraite
⑤ Un groupe d'élèves d'une classe de français
⑥ Astérix

① a décidé de participer au prochain tour de France.
② vient de publier sa biographie.
③ a été kidnappé(e).
④ a été proposé(e) pour le prix Nobel de la paix.
⑤ est tombé(e) d'un train en marche.
⑥ a gagné 200 millions d'euros au loto.

8. LA PREMIÈRE FOIS

A. On se rappelle souvent des « premières fois ». Avec un camarade essayez de vous souvenir de la première fois que vous avez/êtes...

- fait de la bicyclette
- participé à un spectacle
- conduit une voiture
- fait du ski
- fait du cheval
- allé(e) à l'école
- allé(e) à l'étranger
- monté(e) dans un avion
- ....
- ....

- *La première fois que je suis allé à l'étranger, j'avais 12 ans. C'était pour les vacances d'été et mon père voulait nous faire une surprise. Alors, nous sommes allés à Amsterdam. C'était super parce que...*

B. Vous souvenez-vous de la dernière fois que vous avez fait ces choses-là ?

9. C'EST ARRIVÉ À QUI ?

A. Vous avez sûrement vécu des moments de grande émotion. Regardez la liste proposée. Essayez ensuite de vous rappeler les circonstances et les détails. Puis, individuellement, complétez le tableau. Bien sûr, vous pouvez aussi inventer si vous en avez envie !

Une personne célèbre que j'ai rencontrée	
Un lieu où je me suis perdu(e)	
Un avion/un train/un bus que j'ai raté	
Un plat insolite que j'ai mangé	
Une mauvaise rencontre que j'ai faite	
De l'argent que j'ai perdu	
Un jour où j'ai eu très peur	
Une soirée inoubliable	
Une expérience amusante	
Une expérience embarrassante	
Autre :	

B. Maintenant, mettez-vous par groupe de trois et racontez entre vous les aventures les plus curieuses ou les plus intéressantes. Décidez si c'est vrai ou pas.

- Moi, un jour, j'ai croisé Gérard Depardieu à l'aéroport. Je partais à...

C. Parmi les histoires vraies que l'on vous a racontées, choisissez la plus intéressante. Celui qui a vécu cette histoire la raconte de nouveau aux autres dans les moindres détails. Les deux autres peuvent prendre des notes et poser des questions. Préparez-vous bien car, ensuite. vous allez devoir raconter cette histoire comme si vous l'aviez vécue !

- Il y a quelques années, un jour, pendant l'été...
- ❍ Quel âge tu avais ?
- J'avais 14 ans.
- ...
- ❑ La veille, mon grand frère avait eu son permis de conduire et il voulait...

D. Chaque groupe raconte son anecdote devant la classe. À tour de rôle, chacun des trois membres du groupe raconte l'histoire à la première personne, comme s'il l'avait vécue. Ensuite, le groupe-classe a le droit de poser des questions pour essayer de deviner lequel des trois a réellement vécu cette anecdote.

- Moi je crois que c'est William qui a vécu cette aventure parce que...

LES ANTIHÉROS DE LA BD

Au début du siècle, les Français dessinaient beaucoup pour les enfants puis, dans les années 50 et 60, pour les adolescents. Mais depuis les années 70, il y a des BD pour tous les goûts et tous les âges. À côté des héros positifs comme Astérix, on trouve des héros beaucoup moins brillants et parfois même carrément antipathiques. Par exemple, en 1957, Franquin invente Gaston Lagaffe qu'il surnomme « le héros sans emploi ». En 1977, Christian Binet publie les premières péripéties des Bidochons et, en 1982, Jean-Marc Lelong présente Carmen Cru, une mamie misanthrope.

Gaston Lagaffe

Gaston Lagaffe travaille à la rédaction d'un journal, mais il est totalement inutile et incompétent. Il est lent, maladroit, mou et dangereux pour son entourage. Son plus grand plaisir, quand il ne dort pas au travail, c'est de faire de la musique avec des instruments de sa création, ce qui est très désagréable pour ses collègues. Son obsession : NE PAS TRAVAILLER. Il aime aussi les animaux qu'il garde au bureau car son appartement est trop petit. Comme son nom l'indique, Gaston fait sans arrêt des « gaffes ». Il est ingénieux, mais provoque toujours des catastrophes. Gaston fait aussi de nombreuses blagues à l'agent Longtarin : il se venge ainsi de toutes les amendes qu'il doit payer à cause de ce policier.

Carmen Cru

Carmen Cru est une grand-mère insupportable. Elle vit seule dans une petite maison et les promoteurs l'entourent progressivement d'immeubles en béton. Ils veulent la faire partir pour pouvoir construire d'autres immeubles, mais Carmen Cru résiste et se défend. Elle circule sur un vieux vélo, se soigne avec une boîte de médicaments qui date d'avant la guerre et dans son quartier, tout le monde l'appelle « la vieille ».

Les Bidochons

Raymonde et Robert Bidochon sont une caricature du couple de Français moyens. Robert s'imagine qu'il est beaucoup plus intelligent que sa femme. Quant à elle, elle accepte tous les caprices de son mari. Les Bidochons sont victimes de la société : à l'hôpital, on leur dit qu'ils n'existent pas dans les fichiers ; en voyage organisé, ils n'ont pratiquement pas le temps de descendre de l'autobus ; quand ils achètent un téléphone portable, ils ne savent pas le faire fonctionner...

10. TROIS ANTIHÉROS

A. Lisez le texte sur la bande dessinée et observez ces personnages. Les reconnaissez-vous ?

B. Aimeriez-vous lire les aventures de ces personnages ? Quels sont ceux qui vous intéressent le plus ?

C. Quels autres personnages de la bande dessinée française ou belge connaissez-vous? Il s'agit de héros ou d'antihéros ? Les aimez-vous ?

ANCRAGE

IL ÉTAIT UNE FOIS...

Nous allons raconter un conte traditionnel en le modifiant.

Pour cela nous allons apprendre à :

- exprimer des relations logiques de temps, cause, finalité et conséquence
- raconter une histoire

Et nous allons utiliser :

- passé simple
- *pour que* + subjonctif
- *afin de* + infinitif
- *si/tellement... que*
- *lorsque*
- le gérondif
- *pendant que, tandis que*
- *pourtant*
- *puisque*

1. QUE TU AS DE GRANDES OREILLES !

A. Lisez bien les phrases du tableau. Elles proviennent de contes traditionnels. À quel conte croyez-vous qu'elles correspondent ?

	A	B	C	D	E	F	G	H	I	J	K	L	M
Cendrillon													
Le loup et les sept chevreaux													
Le vilain petit canard													
Blanche-Neige													
Le Petit Chaperon rouge													
Le Petit Poucet													

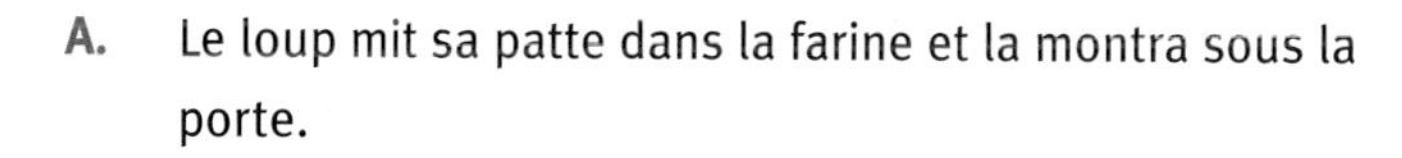

A. Le loup mit sa patte dans la farine et la montra sous la porte.

B. « Miroir, mon gentil miroir, qui est la plus belle en ce royaume ? »

C. Il était tellement petit qu'on l'appelait Petit Poucet.

D. Grand-mère, que tu as de grandes oreilles !

E. « Emmène-la dans la forêt et arrange-toi pour qu'elle n'en sorte pas vivante » ordonna la reine au chasseur.

F. La fée passa sa baguette magique sur la citrouille qui se transforma rapidement en un superbe carrosse.

G. « Montre tes pattes pour que nous puissions voir si tu es vraiment notre chère maman » dirent-ils en cœur.

H. Elle descendit l'escalier tellement vite qu'elle perdit une de ses pantoufles de vair.

I. Pendant que les sept nains travaillaient à la mine, elle s'occupait de la maison.

J. Lorsque la mère canard vit qu'il était si laid, elle dit à ses frères de s'éloigner de lui.

K. « Toi, tu passes par ici, et moi, je passe par là, on verra qui arrivera le premier chez ta grand-mère » dit le loup.

L. Grâce aux bottes magiques de l'ogre, il parcourut sept lieues d'un pas.

M. « Puisque tu es si laid, tu ne joueras pas avec nous » lui crièrent ses frères.

B. Maintenant comparez vos réponses avec celles d'un camarade.

- Qu'est-ce que tu as mis ?
- Cendrillon : b...

2. QU'EST-CE QU'UN CONTE ?

A. Qu'est-ce que vous savez sur les contes ? Lisez les affirmations suivantes et répondez individuellement : vous semblent-elles plutôt vraies, plutôt fausses ou vous ne le savez pas ?

1. Les contes n'existent pas dans certaines cultures.
2. Les contes sont souvent des histoires racontées aux enfants pour qu'ils s'endorment.
3. Dans les contes européens, le rôle du méchant est très souvent représenté par un dragon.
4. Les contes sont des histoires pour enfants, mais aussi pour adultes.
5. Les contes commencent par une formule spéciale.
6. Les contes ne se terminent pas toujours bien.

46 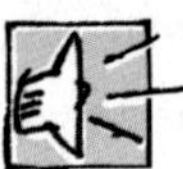 **B.** Maintenant, écoutez l'interview de Diane Duchêne, une spécialiste en littérature orale et vérifiez vos réponses.

47 **C.** Quelles sont les cinq étapes d'un conte ? Écoutez à nouveau la dernière partie de l'interview.

1. ....
2. ....
3. ....
4. Le héros trouve une bonne solution.
5. ....

3. LE PETIT POUCET

A. Vous connaissez le conte du Petit Poucet, n'est-ce pas ? Voici neuf extraits de ce conte, à vous de les remettre dans l'ordre avec l'aide de deux camarades.

◯ Il était une fois un bûcheron et sa femme qui avaient sept fils. Le plus jeune était si petit que tout le monde l'appelait Petit Poucet. Le Petit Poucet était un petit garçon très intelligent et très attentif.

◯ Ce soir-là, après avoir mangé un petit morceau de pain, les enfants allèrent se coucher. Le Petit Poucet qui n'avait pas faim garda le pain dans sa poche. Le lendemain, le bûcheron dit à sa femme : « Ma femme, nous n'avons plus rien à manger. Nous devons abandonner nos enfants. » Un peu plus tard, le bûcheron partit avec ses enfants dans la forêt. Tout au long du chemin, le Petit Poucet jeta des miettes de pain.

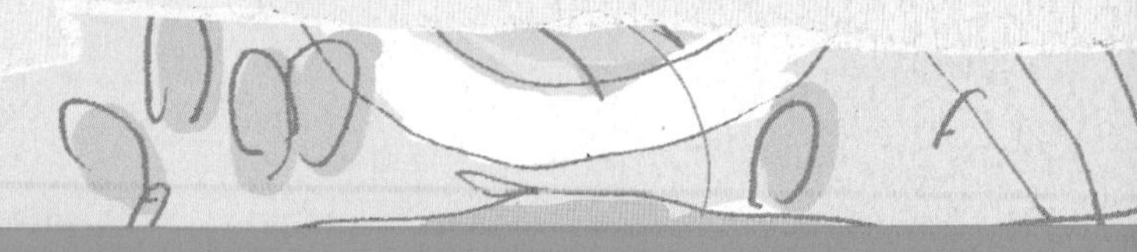

Une minute et cent mille lieues plus loin, le Petit Poucet arriva devant le palais royal. Il entra dans la salle où le roi tenait un conseil de guerre.

« Que viens-tu faire ici, mon garçon ? », demanda le roi. « Je suis venu pour gagner beaucoup d'argent », expliqua le Petit Poucet. « Sire, je peux vous aider à gagner la guerre grâce à mes bottes de sept lieues. »

Effectivement, grâce au Petit Poucet et aux bottes de sept lieues, le roi gagna la guerre et donna au Petit Poucet un grand sac d'or.

C'est fatigant de parcourir sept lieues à chaque pas et l'ogre, qui n'avait pas vu les enfants, s'arrêta pour se reposer. Mais il était tellement fatigué qu'il s'endormit aussitôt.

Alors, le Petit Poucet chuchota à ses frères : « Partez, courez jusqu'à la maison pendant qu'il dort. »

Ensuite, le Petit Poucet s'approcha de l'ogre qui dormait et lui retira les bottes. Puis il les enfila et partit en courant vers le palais royal.

Le Petit Poucet remercia le roi et rentra bien vite chez lui. Depuis ce jour, lui et sa famille ne connurent plus jamais la misère et ils vécurent heureux très longtemps.

3 Le Petit Poucet, qui avait tout entendu, sortit dans le jardin et remplit ses poches de petits cailloux blancs. Ensuite, il alla se coucher. Le lendemain, quand le bûcheron emmena ses enfants dans la forêt, le Petit Poucet jeta tout au long du chemin les petits cailloux. Lorsque le père les abandonna, les enfants se mirent à pleurer. Le Petit Poucet consola ses frères et leur dit qu'il suffisait de suivre les petites pierres pour rentrer à la maison. Lorsque les enfants arrivèrent chez eux, leur mère les embrassa en pleurant de joie.

Le lendemain matin, quand l'ogre alla chercher les enfants, il ne trouva personne. Les enfants s'étaient échappés. « Ces petits vauriens se sont échappés !... » hurla l'ogre. « Femme, donne-moi mes bottes de sept lieues ! » Les enfants étaient déjà assez loin. Ils étaient sortis de la forêt et ils voyaient déjà la maison de leurs parents lorsque, tout à coup, l'ogre apparut. Le Petit Poucet et ses frères se cachèrent derrière un arbre.

Un soir, alors que les enfants dormaient, sauf le Petit Poucet qui s'était caché sous une chaise, le bûcheron dit à sa femme : « Ma femme, nous ne pouvons plus nourrir nos garçons. Nous devons les abandonner dans la forêt. »

« Abandonner nos chers enfants ! Je ne veux pas ! » dit sa femme en pleurant.

« Il n'y a pas d'autres solutions » répondit le bûcheron.

Le Petit Poucet croyait retrouver son chemin grâce aux miettes de pain. Malheureusement, il n'en retrouva pas une seule car les oiseaux avaient tout mangé. Alors, avec ses frères, ils marchèrent pendant des heures dans la forêt. Tout à coup, ils virent une maison et le Petit Poucet alla frapper à la porte. Mais c'était la maison d'un ogre très méchant qui mangeait les enfants. L'ogre les enferma pour les manger le jour suivant.

B. Regardez les verbes dans l'extrait nº 3. Un nouveau temps du passé a été introduit. Soulignez ces nouvelles formes verbales. Ce temps est le passé simple et son usage, sans être obligatoire, est traditionnel dans un conte. Est-ce qu'il y a une autre forme verbale que l'on pourrait utiliser à sa place ?

4. ÊTES-VOUS « POLYCHRONIQUE » ?

A. Une personne « polychronique » est quelqu'un qui fait souvent plusieurs choses en même temps. Posez les questions suivantes à un camarade afin de savoir s'il est « polychronique ».

	jamais	parfois
1. Est-ce que vous mangez en regardant la télévision ?		
2. Est-ce que vous parlez en mangeant ?		
3. Pouvez-vous rire en étant triste ?		
4. Pouvez-vous être avec votre petit/e ami/e et penser à un/e autre personne ?		
5. Est-ce que vous travaillez en écoutant la radio ?		
6. Est-ce que vous travaillez en fumant ?		
7. Est-ce que vous mangez en travaillant ?		
8. Est-ce que vous fumez en prenant un bain ?		
9. Est-ce que vous chantez en vous rasant / en vous maquillant ?		
10. Pouvez-vous envoyer un SMS à un/e ami/e en écoutant le professeur ?		
11. Pouvez-vous être aimable avec quelqu' un en pensant : « Quel imbécile ! »		
12. Est-ce que vous parlez en dormant ?		

B. Maintenant, présentez vos conclusions à votre camarade.

- *Je crois que tu es assez polychronique, car tu manges en travaillant...*

5. QU'EST-CE QUE C'EST ?

A. Lisez ces phrases et devinez de quoi on parle.

1. Sans lui, la vie est impossible mais il est tellement chaud qu'on ne peut pas l'approcher.
2. Il est tellement apprécié qu'on le boit pour toutes les grandes occasions.
3. Elle est tellement fidèle qu'elle ne nous quitte jamais, mais on ne la voit que lorsque le soleil brille.
4. Il est devenu tellement indispensable dans les pays développés que ces derniers sont prêts à tout pour l'obtenir.
5. Elle a l'aspect d'un meuble et elle a pris tellement d'importance dans notre vie qu'elle est souvent au centre de la salle à manger.
6. On ne l'aime pas beaucoup mais elle est tellement nécessaire que, sans elle, le monde deviendrait un immense désert.

B. Avec un camarade, écrivez d'autres devinettes sur ce modèle en utilisant **tellement ... que**.

6. CHAQUE PROBLÈME A UNE SOLUTION

A. Mettez-vous par groupes de quatre et faites une liste des problèmes les plus importants concernant l'écologie, l'éducation, la distribution des richesses, votre emploi du temps, la santé... Une seule condition : soyez concrets !

- *Le trou dans la couche d'ozonne s'agrandit.*
- *Il n'y a pas de métro après 2 heures du matin pour rentrer chez moi.*

B. Maintenant, vous allez passer votre liste à un autre groupe qui va écrire en face de chaque problème la solution qu'il propose.

LE PASSÉ SIMPLE

Le passé simple s'emploie seulement à l'écrit et essentiellement à la troisième personne du singulier et du pluriel. Il situe l'histoire racontée dans un temps séparé du nôtre.

*Ils **se marièrent** et **eurent** beaucoup d'enfants.*

*Pâris **lança** une flèche qui **traversa** le talon d'Achille.*

GARDER	il gard**a**	ils gard**èrent**
FINIR	il fin**it**	ils fin**irent**
CONNAÎTRE	il conn**ut**	ils conn**urent**

TELLEMENT/SI ... QUE

Tellement/si + adverbe ou adjectif exprime une très grande intensité.

*Je suis **si/tellement fatigué** !*

Tellement/si ... que annonce une conséquence.

*Je suis **si/tellement** fatigué **que** je m'endors absolument partout.*

CAR ET PUISQUE

Car introduit une cause que l'on suppose inconnue par l'interlocuteur.

*Un piercing avant 16 ans n'est pas recommandable **car** les adolescents peuvent encore grandir.*

Puisque introduit une cause que l'on suppose connue par l'interlocuteur.

- *Tu vas au cinéma ce soir ?*
- *Non, **puisque** tu m'as dit que tu ne m'accompagnais pas.*

AFIN DE ET POUR QUE

Afin de + INFINITIF introduit un objectif, un but à atteindre.

*Je dois étudier beaucoup **afin de** réussir tous les examens et partir tranquille en vacances.*

Pour que + SUBJONCTIF introduit un objectif, un but à atteindre. On l'emploie quand les sujets de la première et de la deuxième phrase sont différents.

*Montre tes pattes **pour que** nous puissions te voir.*

POURTANT

Pourtant met en évidence le fait que quelque chose nous semble paradoxal.

- *Tu t' es perdu ?*
- *Oui, complètement !*
- ***Pourtant,** ce n' est pas la première fois que tu viens chez moi !*

LORSQUE

Lorsque s'utilise de la même manière que **quand**.

***Lorsque** je suis sorti, il pleuvait.* (= **Quand** je suis sorti, il pleuvait.)

TANDIS QUE ET PENDANT QUE

- *Comment les enfants se sont-ils comportés ?*
- *Oh, très bien ! Paul a tout rangé **pendant que/tandis que** Judith a mis la table.*

LE GÉRONDIF

Quand le sujet fait deux actions simultanées, on peut utiliser le gérondif.

- *Moi, je lis toujours le journal **en prenant** mon petit-déjeuner.*

PRÉSENT	GÉRONDIF
nous **pren**ons	en pren**ant** [ã]
nous **buv**ons	en buv**ant** [ã]
nous **conduis**ons	en conduis**ant** [ã]

Attention :
ÊTRE → en **étant**
AVOIR → en **ayant**
SAVOIR → en **sachant**

- Pour réduire le trou dans la couche d'ozone, on devrait interdire la circulation des voitures.
- Pour qu'il y ait des métros après 2 heures du matin, on pourrait envoyer une lettre au maire ou bien au ministre des transports.

7. CAR OU POURTANT ?

A. Complétez chaque phrase avec **car** ou **pourtant** en fonction de ce qui vous semble le plus adéquat. Comparez vos choix avec ceux d'un camarade.

	car ou pourtant	
1. Les pays développés détruisent leur surproduction d'aliments		des millions d'enfants dans le monde meurent de faim.
2. Tout le monde sait que l'alcool est dangereux au volant		beaucoup de conducteurs conduisent après avoir bu.
3. Les antivirus ne sont plus assez efficaces pour protéger les ordinateurs		les virus informatiques sont de plus en plus sophistiqués et rapides.
4. Les baleines sont en voie de disparition		on les a trop chassées dans le passé.
5. Les aliments des fast-foods sont très mauvais pour la santé		ils sont saturés de graisses.
6. L'équipe de France a été éliminée en quart de finale de l'Euro 2004		il y avait dans cette équipe de grands joueurs comme Zidane, Lizarazu ou Henry.

B. Est-ce que vous avez déjà été victime d'une injustice ? Est-ce que vous avez déjà observé quelque chose qui n'est pas logique ou qui n'était pas du tout prévisible ? Parlez-en avec deux camarades. Vous aurez sans doute besoin du connecteur **pourtant**.

- Moi, par exemple, je pense que j'ai été victime d'une injustice : j'ai eu une très mauvaise note à l'examen, pourtant j'avais étudié...

8. COURSE CONTRE LA MONTRE

Ce matin, Gilles et Marité ne se sont pas réveillés à temps et doivent tout faire en 30 minutes. Il est 7 h 00 et à 7 h 30 ils doivent partir. Regardez la liste des choses à faire et aidez-les à s'organiser :

- préparer le café : 5 mn
- faire les lits : 5 mn
- prendre le petit-déj' : 10 mn
- s'habiller : 5 mn chacun
- beurrer 4 tartines : 4 mn
- donner à manger au chat : 1 mn
- habiller les enfants : 5 mn
- prendre une douche : 5 mn chacun

	Gilles	Marité
7.00-		
7.20-7.30	Prendre le petit-déjeuner	Prendre le petit-déjeuner

- Pendant que Marité prépare le café, Gilles peut...

9. LA PIERRE PHILOSOPHALE

A. Lisez ce conte moderne. Vous voyez les fragments soulignés ? Pour que l'histoire soit un peu plus claire, essayez de les réécrire en utilisant les mots suivants.

- afin de
- tellement ... que
- pourtant
- lorsque
- car
- puisque

B. Est-ce que vous avez aimé cette histoire ? À votre avis, quel est le sens de cette histoire ? Quelle est sa moralité ? Parlez-en avec deux autres camarades.

- Moi, je pense que la morale de cette histoire, c'est qu'il ne faut pas...

Il était une fois un homme d'affaires qui s'appelait Benjamin. Il voyageait beaucoup : il avait beaucoup de clients importants aux quatre coins du monde et sa femme et ses deux fils ne le voyaient presque jamais. Benjamin ne s'intéressait pas seulement aux affaires, il s'intéressait aussi aux vieux livres et, de temps en temps, il allait dans une petite librairie spécialisée. Un jour il tomba sur un livre dont le titre l'intriga : « La Pierre philosophale ». Il l'acheta puis rentra chez lui : il voulait le lire tranquillement. Ce livre était très intéressant : il le lut en deux heures. On y parlait d'une pierre philosophale qui donnait la sagesse et on expliquait que cette pierre était sur une petite île déserte en Océanie. Benjamin décida de partir à la recherche de cette pierre-là. Il divorça et laissa toute sa fortune à ses deux fils. Il n'avait pas besoin d'argent : il n'y avait rien sur l'île. Quelques jours plus tard, il était sur l'île. Il se mit aussitôt au travail. Le livre ne disait pas où se trouvait exactement la pierre, mais il expliquait qu'elle provoquait une certaine chaleur quand on la tenait dans la main. Alors, Benjamin commença à ramasser une à une les pierres de la plage : il gardait chaque pierre un certain temps dans le creux de sa main pour savoir si elle était chaude. Il ne sentait rien... Il la jetait à la mer. Des jours passèrent puis des semaines, puis des mois et au bout d'un an, Benjamin n'avait encore rien trouvé. Un jour, alors que Benjamin prenait les pierres et les jetait automatiquement à l'eau, il laissa passer la chance de sa vie : en effet, comme il commençait à être fatigué, son geste était devenu automatique. Il toucha alors une pierre qui était plus chaude que les autres, il la jeta à l'eau d'un geste machinal. Désespéré, il se mit à l'eau pour la rechercher mais ne la retrouva jamais. Benjamin avait jeté à l'eau ce qu'il cherchait depuis si longtemps.

10. À VOUS DE RACONTER !

A. Mettez-vous par petits groupes et faites une liste de contes que vous connaissez, puis décidez ensemble lequel de ces contes vous voulez raconter.

B. Maintenant, pensez à un intrus, c'est-à-dire, un personnage réel ou fictif qui normalement n'est pas dans ce conte mais que vous voulez introduire dans l'histoire. Puis écrivez votre version du conte.

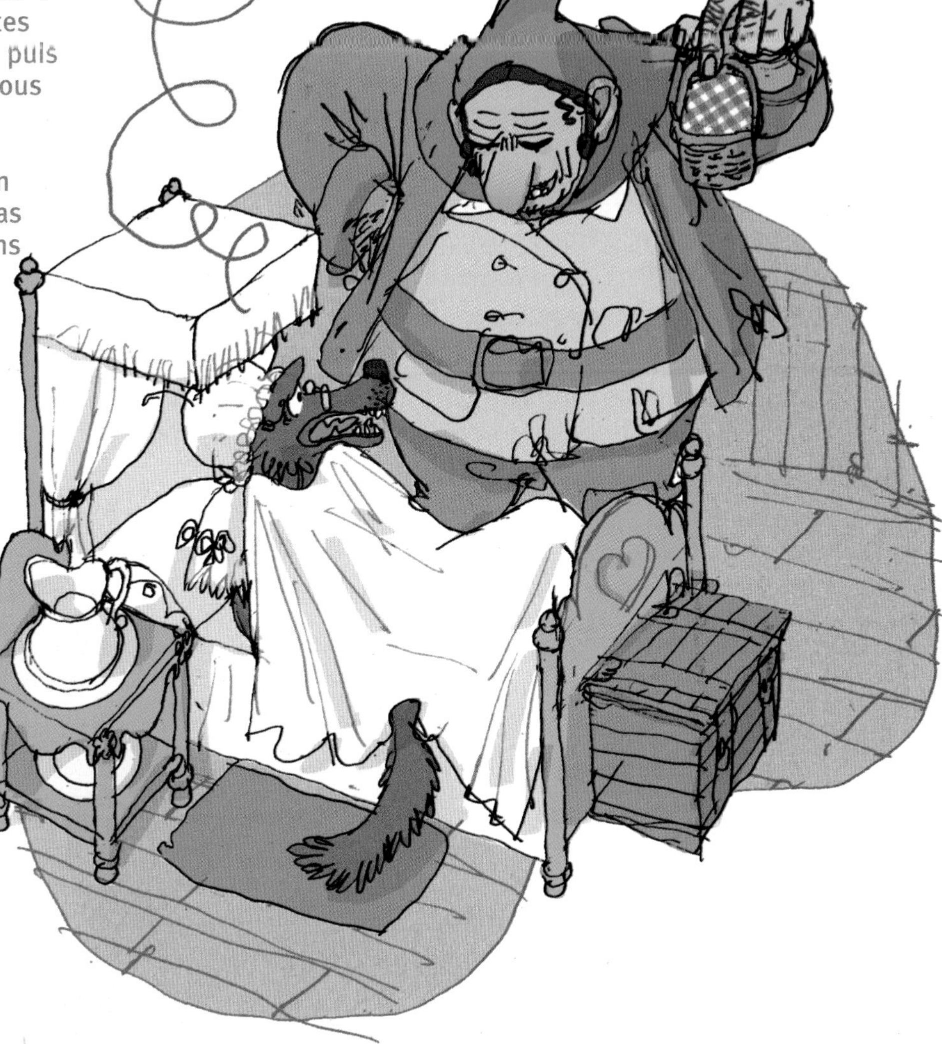

C. Une fois le texte corrigé par votre professeur, vous pourrez mettre au point une lecture dramatisée de votre conte et le présenter à la classe.

11. LE CRÉOLE

Lisez le texte suivant sur l'origine de la langue créole. Est-ce que vous connaissez l'histoire de votre propre langue ou d'autres langues de votre entourage ?

LA LANGUE CRÉOLE

Le créole à base lexicale française est né du métissage du vocabulaire français des XVIIe et XVIIIe siècles avec des expressions d'origine africaine. Capturés sur leur terre natale, les Africains déportés aux Antilles étaient répartis sur diverses îles pour éviter que les tribus se reconstituent et provoquent des révoltes. Ainsi, devant la nécessité de survivre et de communiquer avec des compagnons parlant des langues différentes, ils ont créé une langue commune, reprenant des mots français et quelques termes amérindiens, le tout construit avec une syntaxe proche de celle des langues d'Afrique. Le temps a donné une unité à l'ensemble et s'est développée progressivement toute une littérature orale en langue créole à partir des contes, des chants et des proverbes. Le créole est aujourd'hui une langue à part entière et il est même la langue officielle de deux pays indépendants : Haïti et les îles Seychelles. En fait, il n'existe pas un créole mais plusieurs créoles.

Le créole à base lexicale française se parle aujourd'hui à Haïti, aux Antilles françaises (en Guadeloupe et en Martinique), en Guyane, sur l'île Maurice, à la Réunion et aux îles Seychelles.

enmé :	aimer
chapo-a :	chapeau
appwan :	apprendre
ayen :	rien
gadé :	regarder

TI POCAME était un gentil petit garçon qui vivait chez sa tante car il était orphelin. Sa tante ne l'aimait pas du tout, elle préférait ses deux fils. Elle réservait à ses fils les plus beaux habits et pour Ti Pocame, les vieux habits ; pour ses deux fils, les bons morceaux de viande et pour Ti Pocame, les os. De même, Tipocame faisait toutes les corvées : aller chercher de l'eau à la rivière, nourrir le cochon et les poules, éplucher les légumes... Souvent, Ti Pocame était puni injustement et dans ses colères, sa tante menaçait de le donner au diable.

Mais Ti Pocame était courageux et il ne se plaignait jamais. Il songeait souvent à sa chère marraine chez qui il aimerait bien partir vivre un jour. Un soir, alors qu'ils étaient à table, la Tante ordonna à Ti Pocame d'aller cueillir un piment afin d'épicer le repas. Il faisait noir et, tout de suite, Ti Pocame pensa : « C'est ce soir que ma tante m'envoie au diable ! »

Avant de sortir, il prit soin de glisser dans sa poche les sept pépins d'orange qui portent chance et que sa marraine lui avait donnés pour son anniversaire. Arrivé dehors, la nuit l'enveloppa tout entier. Il prit garde à faire le moins de bruit possible afin que le diable ne le remarque pas. Soudain, il vit une petite lumière comme celle d'une luciole et celle-ci se mit à foncer sur lui, « le diable », pensa-t-il.

12. TI POCAME

A. Lisez le début de ce conte antillais. À quels autres contes vous fait-il penser ?

B. Comment croyez-vous que le conte continue ? Voulez-vous le savoir ? Écoutez !

ANCRAGE

JOUER, RÉVISER, GAGNER

Nous allons créer un quiz sur des thèmes d'histoire, de géographie, de cultures francophones et de langue française, et nous allons faire un bilan global de notre apprentissage du français.

Pour cela nous allons apprendre à :

- **formuler des questions complexes**
- **répondre à des questions sur la France, la francophonie et la langue française**
- **exprimer des désirs et des volontés**

Et nous allons utiliser :

- **le subjonctif après les verbes qui expriment un désir ou une volonté**
- **les expressions d'affirmation ou de négation.**
- ***depuis* et *il y a... que***
- ***si* à la forme interro-négative**

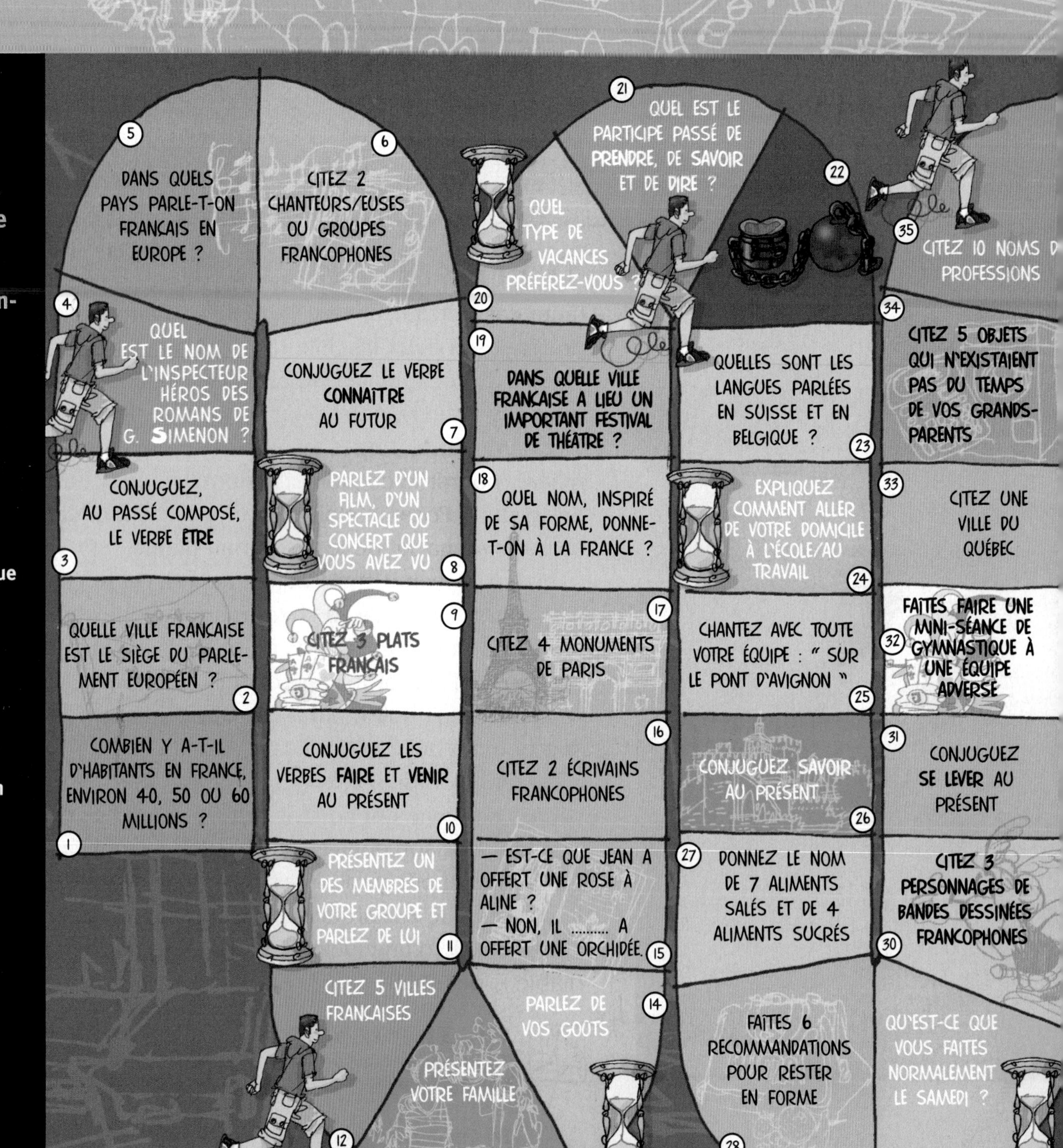

1. JEU DE L'OIE

A. Formez 4 groupes dans la classe et lisez les règles du jeu. Il vous faut un dé, un pion pour chaque groupe et des cartes joker.

B. Maintenant commencez à jouer. Chaque groupe lance son dé et effectue les épreuves. Le professeur corrige les réponses et joue le rôle d'arbitre en cas de litige.

RÈGLES DU JEU

À tour de rôle, chaque groupe lance le dé et répond à la question. Si la réponse est correcte, avancez d'une case (deux cases, si la suivante est la prison) avant de laisser jouer le groupe suivant. Vous avez 30 secondes pour vous mettre d'accord sur la réponse à donner.

- Si vous tombez sur une case VERTE, et que vous répondez correctement, vous pouvez avancer de trois cases.
- Si vous tombez sur une case **JOKER** et que vous répondez correctement à la question, vous gagnez un joker.
- Si vous tombez sur une case **PRISON**, vous devez passer deux tours, mais si vous avez un joker, vous pouvez sortir au tour suivant.
- Si vous êtes sur une case **ROUGE**, et que vous répondez correctement à la question, vous pouvez rejouer.
- Si vous tombez sur une case **SABLIER**, vous devez parler pendant 1 minute sur le thème proposé.

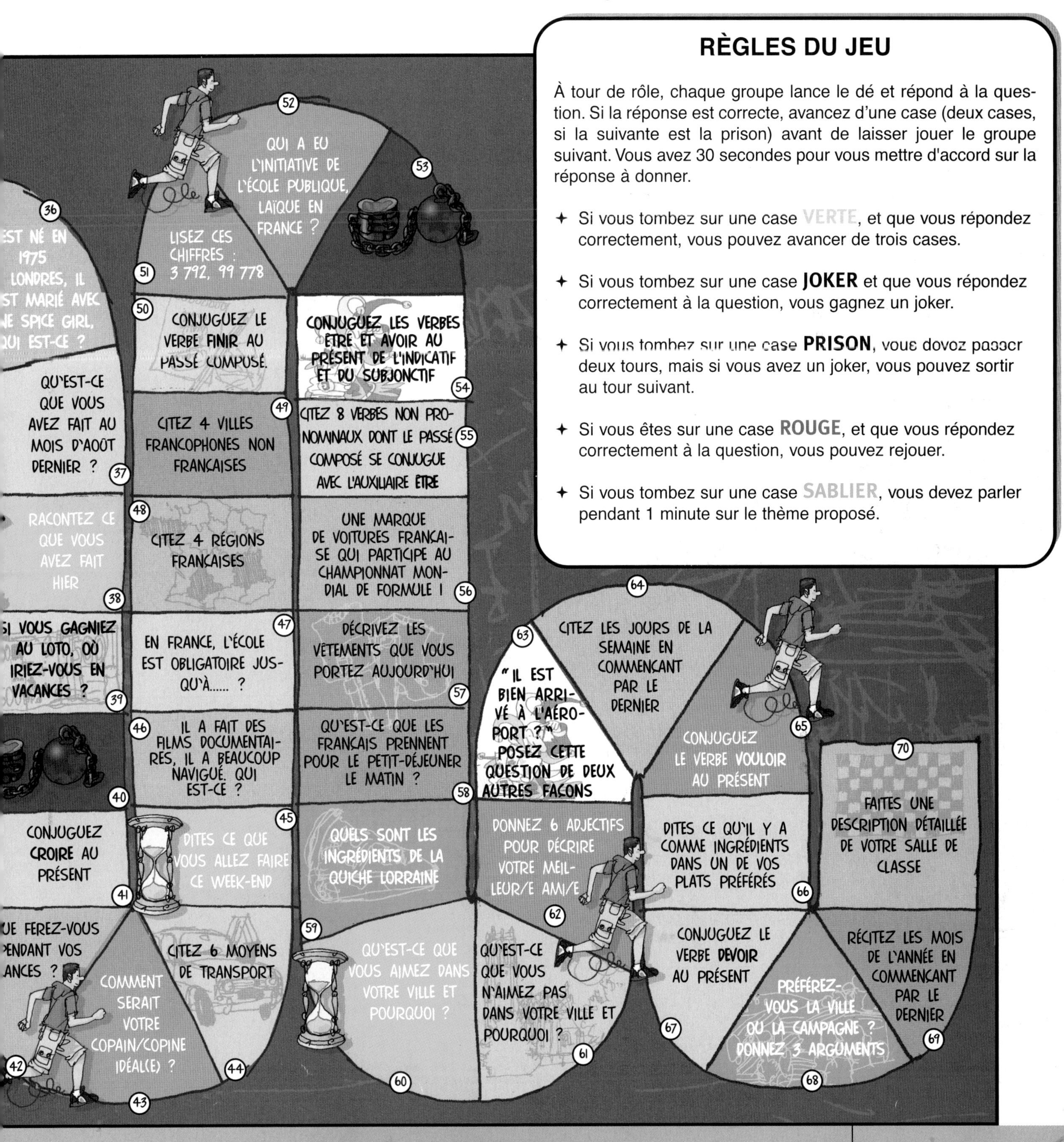

2. LE QUÉBEC, VOUS CONNAISSEZ ?

A. Essayez de répondre individuellement à ce questionnaire sur le Québec. Si vous avez des doutes, mettez un point d'interrogation.

1. D'où vient le nom « Québec » ?
a. de l'anglais
b. du français
c. d'une langue indienne

2. Sa superficie est de :
a. 7 fois la France
b. 5 fois la France
c. 3 fois la France

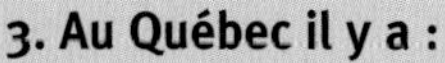

3. Au Québec il y a :
a. environ 7 millions d'habitants
b. environ 15 millions d'habitants
c. environ 25 millions d'habitants

4. Climat. La température à Montréal en été est de :
a. 9 à 18 degrés
b. 10 à 26 degrés
c. 17 à 32 degrés

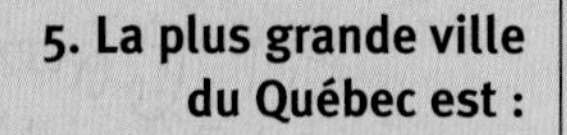

5. La plus grande ville du Québec est :
a. Québec
b. Montréal
c. Ottawa

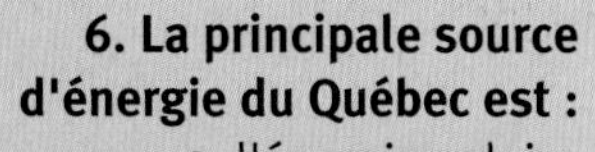

6. La principale source d'énergie du Québec est :
a. l'énergie solaire
b. l'énergie hydraulique
c. l'énergie nucléaire

7. Au dernier référendum en 1995, les Québécois ont voté :
a. majoritairement pour l'indépendance du Québec
b. majoritairement contre l'indépendance du Québec

8. Le Québec est :
a. un état fédéral au sein du Canada
b. un état souverain
c. un pays indépendant

9. La population est à 82% francophone, 9% anglophone :
a. l'anglais est langue officielle, et les services fédéraux sont bilingues
b. l'anglais et le français sont langues officielles
c. le français est la langue officielle, mais les services fédéraux du Québec sont bilingues

10. Avant la colonisation, les peuples vivant au Québec étaient :
a. les Algonquiens, les Iroquois, les Inuits et les Micmacs
b. les Aztèques, les Mayas, les Incas et les Huicholes
c. les Appaches, les Sioux , les Navajos, les Commanches

11. La population est majoritairement :
a. protestante
b. catholique
c. athée

12. Ces derniers temps, les groupes d'immigrants le plus importants du Québec sont :
a. les Anglais et les Français
b. les Italiens et les populations de l'Europe de l'Est
c. des immigrants francophones de l'Afrique, du monde arabe et des Antilles

B. Comparez vos réponses avec celles d'un camarade.

- *Au Québec, je ne pense pas que la religion dominante soit le catholicisme.*
- *Moi, si. Il me semble...*

C. Écoutez cette émission radiophonique sur le Québec et vérifiez vos réponses.

D. Lisez ce texte sur la revendication identitaire au Québec. Qu'en pensez-vous ? Avez-vous vécu, ou entendu parler de situations identiques dans votre pays ou dans d'autres pays ?

QUESTIONS D'IDENTITÉS

Les Québécois sont, en général, très fiers d'être francophones, même s'ils ne sont qu'un petit îlot dans le Canada anglophone.

Ils veulent qu'on leur parle en français et certains aimeraient que le Québec soit un état indépendant du Canada reconnu comme un pays francophone. Pourtant, il y a eu deux référendums à ce sujet, dont le premier en 1980 : le Gouvernement du Québec voulait que le pays obtienne le pouvoir exclusif de faire ses lois, de percevoir ses impôts et de gérer ses relations extérieures. En résumé, le projet de loi proposait que le Québec devienne un état souverain tout en maintenant une association économique avec le Canada. Mais la majorité des Québécois se sont opposés à l'indépendance avec 59,56% de « non ». En 1995, peu de temps après l'arrivée au pouvoir du parti québécois, le premier ministre a proposé un avant-projet de loi sur la souveraineté du Québec. L'option de la souveraineté du Québec a de nouveau échoué au référendum.

Depuis l'arrivée au pouvoir du Parti québécois, en 1976, la politique linguistique du Québec a pris un tournant décisif. La charte de la langue française, plus connue sous le nom de « loi 101 », adoptée en 1977, assure la prédominance de la langue française. Mais quelle est la réalité linguistique actuelle ?

Le français est la langue officielle du Québec, mais la situation réelle est un quasi-bilinguisme. Le français est devenu la langue de la législature et de la justice, de l'administration publique, du travail, du commerce, des affaires et de l'enseignement. La langue parlée dans 82% des foyers est le français. Mais, si un anglophone au Québec veut que ses enfants aillent dans une école anglophone ou qu'on lui parle en anglais dans les services publics, il a le droit de l'exiger.

À travers la loi 101, le gouvernement du Québec a aussi voulu que les populations autochtones puissent parler leur langue maternelle, c'est à dire l'algonquin, l'attikamek, le micmac, le montagnais et le mohwh. Cette loi insiste sur l'importance de l'utilisation des langues amérindiennes dans l'enseignement public dispensé aux Amérindiens.

- En Finlande, il y a une minorité qui parle suédois et, au Nord, il y a aussi les Lapons, qui...
- Oui, et en Belgique...

3. DEPUIS QUAND ?

Lisez les petites histoires suivantes et, avec un camarade, mettez-vous d'accord pour compléter les espaces vides. Vous devrez, d'abord, faire le calendrier des mois d'avril, mai et juin 2004.

Mars

L	M	M	J	V	S	D
1	2	3	4	5	6	7
8	9	10	11	12	13	14
15	16	17	18	19	20	21
22	23	24	25	25	27	28
29	30	31				

Marie et François

Nous sommes en mars 2004. Le 17 mars exactement.
Marie et François sont mariés depuis 3 ans (date de leur mariage : ....) et chaque année ils fêtent leur anniversaire de mariage le 17 mars. Mais cette année, ils ne le fêtent pas car Marie est à l'hôpital depuis 3 jours. Elle a eu un accident en traversant la rue, (date de l'accident : ....).
Rien de grave heureusement ! Mais Marie et François ne pourront pas fêter leur anniversaire avant 15 jours, quand Marie sortira de l'hôpital (date de sortie de l'hôpital : ....).

Pierre

Nous sommes le 27 mai 2004.
Pierre est allé aux sports d'hiver il y a exactement 2 mois (date : ....).
C'était un samedi soir. Il est arrivé à Andorre tard dans la nuit.
Le lendemain matin (date : ....), il s'est précipité sur les pistes car il avait très envie de skier.
Il est tombé et s'est cassé la jambe.
Il est resté pendant 3 jours à l'hôpital (dimanche compris), puis il est rentré chez lui un mardi (date : ....).
Depuis sa sortie de l'hôpital, il ne travaille plus.
Il reprendra son travail dans 12 jours (date de reprise du travail : ....).

4. MOTS BIZARRES

Lisez ces mots puis, avec un camarade, mettez-vous d'accord sur ce qu'ils désignent.

un brochet	un objet, un poisson ou une plante ?
une pastèque	un objet, un fruit ou une profession ?
un cygne	une profession, un oiseau ou un objet ?
un plombier	une profession, une plante ou un oiseau ?
une hirondelle	un objet, une profession ou un oiseau ?
un jonc	un poisson, une plante ou une profession ?
un flacon	une plante, un fruit ou un objet ?

● Moi, je crois que brochet c'est une plante.
○ Non, pas du tout, c'est un...

LA QUESTION À LA FORME INTERRO-NÉGATIVE

La forme interrogative peut se combiner avec la forme négative.

*La Réunion **n'a-t-elle pas été** une prison ?*
*Est-ce que la Réunion **n'a pas été** une prison ?*

Dans ce cas, si la réponse est affirmative, la réponse n'est pas **oui** mais **si**.

***Si**, c' était une prison dès le XVIIe siècle.*

~~Oui~~, c' était une prison.

RÉPONDRE À UNE QUESTION AUTREMENT QUE PAR OUI OU NON

Si la question est affirmative et la réponse affirmative : **tout à fait, en effet.**

● *Vous connaissez le Québec, n' est-ce pas ?*
○ ***En effet,** je l' ai visité il y a deux ans.*

Si la question est affirmative et la réponse négative : **pas du tout.**

● *Vous avez habité là-bas ?*
○ ***Pas du tout,** j' y suis allé comme touriste.*

Si la question est négative et la réponse affirmative : **si, bien sûr** (**que si**).

● *Vous n' êtes pas sorti de Montréal, n' est-ce pas ?*
○ ***Si,** j' ai visité une grande partie du Québec.*

Si la question est négative et la réponse est négative : **absolument pas, vraiment pas.**

● *Vous n' avez pas eu peur ?*
○ ***Absolument pas.***

DEPUIS / IL Y A... QUE

Ces deux indicateurs temporels peuvent se construire avec une durée chiffrée.

*La Réunion est française **depuis** le XVIIe siècle.*
***Il y a** quatre siècles **que** la Réunion est française.*

Ils se construisent également avec des adverbes de temps : **longtemps, peu de temps**, etc.

***Il y a longtemps qu'** elle est française.*

*Elle travaille ici **depuis peu de temps.***

DANS

Dans peut représenter un repère dans le futur du locuteur, il est suivi d'une durée chiffrée.

__Dans__ 10 jours, ils partiront pour la Réunion.

Je crois que nous arriverons __dans__ deux heures à Marseille.

LE SUBJONCTIF APRÈS LES VERBES QUI EXPRIMENT UNE VOLONTÉ OU UN DÉSIR

Tu **aimes**		
Il **veut**		
Elle **préfère**		+ SUBJONCTIF
On **exige**	**que**	je **fasse** les courses.
Vous **adorez**		
Elles **souhaitent**		

Cette construction apparaît quand le sujet des deux verbes n'est pas le même.

Nous voulions que nous fesions les courses.

5. NI OUI NI NON

À tour de rôle, vous allez répondre aux questions que la classe va vous poser, mais attention : vous ne pouvez répondre ni **oui** ni **non**. Si la question est mal formulée, votre professeur le signale et vous ne répondez pas. Si vous répondez **oui** ou **non**, vous avez perdu et vous laissez votre place à un camarade.

- ● Tu vas bien aujourd'hui ?
- ○ Parfaitement bien.
- ● Tu es sûr ?
- ○ Absolument.

6. MAIS SI !

Par groupes de trois. Chaque membre du groupe rédige quatre propositions à la forme négative concernant l'un des deux autres. Ensuite, vous lui demandez de confirmer vos suppositions. Celui qui se trompe plus de deux fois, laisse son tour au suivant.

- ● Mario, tu n'aimes pas les fruits de mer, n'est-ce pas ?
- ○ Mais si, j'aime les fruits de mer.
- ● Tu n'habites pas en ville ?
- ○ Non, j'habite à la campagne.

7. ILS VEULENT QUE...

Complétez ces textes comme dans l'exemple en choisissant le verbe correct.

Le stressé

Mon père veut que je *sois* un musicien célèbre.
Ma mère souhaite que je *fasse* le ménage.
Ma sœur exige que je lui .... un petit copain.
Mon prof de maths veut que je lui .... des devoirs tous les jours.

Le je-m'en-foutiste

Les gens veulent que je .... une cravate.
Mon prof de physique exige que je .... une blouse blanche pendant les cours.
Mon père aime que je .... les meilleures notes.
Les gens de mon quartier ne veulent pas que je .... de la batterie le soir.

Le dragueur

Fanny veut que je .... toujours avec elle.
Marianne préfère que je ne .... pas en moto, elle a peur que j'aie un accident.
Julie adore que je l'........................ en boîte.
Stéphanie aime que je .... en rocker.

emmener • s'habiller • porter • rouler • faire • jouer • mettre • sortir • trouver• avoir

8. LE QUIZ

A. Formez des équipes de trois ou quatre. Vous devez préparer six questions par groupes sous forme de fiches. Vous écrivez les réponses sur une feuille à part. Les questions peuvent se référer à la culture ou à la langue, mais on doit pouvoir trouver les réponses dans ce manuel.

- On pourrait demander la conjugaison d'un verbe au conditionnel, par exemple. C'est dans l'unité 1.
- D'accord, on pourrait prendre le verbe pouvoir.

B. Maintenant, lisez attentivement les règles du jeu avant de commencer.

- Moi, je crois que le conditionnel de pouvoir, à la première personne, ça s'écrit P, O, U, R, R, A, I.
- Non, il faut un s à la fin.
- D'accord. Donc, " je pourrais " s'écrit : P O U R R A I S.

Règles du jeu

1. Chaque équipe va donner son jeu de questions au professeur qui les distribuera à un autre groupe.
2. Les équipes ont 15 minutes pour décider des réponses qu'elles écriront sur cette même carte.
3. Le porte-parole de chaque équipe lit les questions et les réponses de son groupe.
4. Le professeur dit si la réponse est correcte ou non.
5. Si un groupe ne connaît pas la réponse ou donne une réponse incorrecte, les autres équipes ont alors le droit de donner la réponse.

Ponctuation

Bonne réponse : 3 points
Réponse donnée à la place d'une autre équipe : 5 points
Mauvaise réponse : –3 points

9. MOI ET LE FRANÇAIS : MON BILAN

Répondez individuellement à ces questions, puis commentez vos réponses par petits groupes.

1. Voilà deux ans que vous étudiez le français, et maintenant, que pensez-vous faire ?

- Je pense continuer à l'étudier comme je l'ai fait jusqu'à présent.
- J'en sais suffisamment pour continuer seul.
- Je vais arrêter.
- Autre :

2. Pendant les prochaines vacances, vous voudriez :

- Suivre un cours intensif de français.
- Vous inscrire à un cours de...
- Aller en France ou dans un pays francophone.
- Ne rien faire.
- Autre :

3. Avec ce manuel vous pensez que :

- Vous avez beaucoup appris.
- Vous n'avez pas suffisamment appris.
- Vous avez trop travaillé.
- Vous n'avez pas assez travaillé.
- Autre :

4. Dans ce manuel :

Vous avez aimé qu'il y ait...
Vous avez aimé qu'on fasse...
Vous n'avez pas aimé qu'il y ait...
Vous n'avez pas aimé qu'on fasse...

5. Vous voulez que votre prochain livre de français soit :

Plus...
Moins...
Aussi...

6. Pour vous, le français c'est...

7. Si vous deviez recommencer à apprendre le français, qu'est-ce que vous changeriez ? Qu'est-ce que vous ne changeriez pas ?

10. DEUX ÎLES : LA MARTINIQUE ET L'ÎLE DE LA RÉUNION

Vous connaissez ces îles ? Lisez ces dépliants touristiques.
Laquelle de ces deux îles vous attire le plus ? Pourquoi ?

LES D.O.M.-T.O.M. (Départements et territoires d'outre-mer)

La Guadeloupe, la Martinique, la Guyane et l'île de la Réunion sont des départements d'outre-mer français. Cela signifie qu'elles ont le même statut qu'un département français avec en plus quelques spécificités, notamment en ce qui concerne la fiscalité.

LA MARTINIQUE

La Martinique est une île de 64 km de long qui s'étale sur à peine 20 km de large, et est dominée par la montagne Pelée qui culmine à 1397 m. Elle présente une grande diversité de paysages. Le Sud est constitué de collines à la végétation peu abondante. Le Nord est montagneux. Ses premiers habitants, les indiens arawaks, l'appelaient Madinina, « l'île aux fleurs », en raison de sa végétation tropicale. Sa population est multiculturelle : européenne, africaine, hindoue, caraïbe, asiatique...

Un peu d'histoire

Avec l'arrivée de Christophe Colomb en 1502, commencent de nombreuses guerres pour la domination des Antilles. Anglais, Hollandais et Français se disputent la Martinique jusqu'à ce qu'elle devienne un département français d'outre-mer en 1946. C'est avec l'arrivée de Belain d'Esnambuc, en 1635, que s'ouvre une longue période de commerce entre les Indes Occidentales, l'Afrique et l'Europe. Commence alors la déportation de millions d'esclaves noirs vers les plantations de canne à sucre. Après l'abolition de l'esclavage en 1848, de nombreux indiens viennent remplacer la main-d'œuvre noire dans les champs de canne à sucre.

Le climat

Il y a trois saisons en Martinique. De fin décembre à mai, c'est la saison sèche pendant laquelle il fait très beau. De mi-juin à novembre c'est la saison humide, et de fin août à octobre, la période des cyclones. La température peut dépasser 28 degrés de juillet à octobre et ne descend pas au-dessous de 26 degrés durant la saison sèche. Les pluies peuvent être particulièrement abondantes. Toute l'année, le soleil se lève entre 5 h et 6 h et se couche entre 17 h 30 et 18 h.

Les plages

Elles surprennent par leur beauté et leur incroyable diversité, avec des couleurs qui vont du sable blanc lumineux au noir volcanique. L'eau est transparente et dans les fonds marins on trouve des bancs de poissons colorés. Il y a les plages tranquilles du Sud-caraïbe, bordées de cocotiers, et celles plus tumultueuses, de la côte atlantique.

Production

L'agriculture est dominée par le secteur bananier et plus de la moitié de la récolte de canne à sucre est destinée aux distilleries pour la fabrication de rhums. La Martinique a aussi une assez longue tradition de culture de l'ananas et de l'avocat. À part les fruits, on cultive aussi les fleurs qui sont exportées en Métropole et aux États-Unis ou vendues sur place aux touristes.

L'ÎLE DE LA RÉUNION

L'île est peuplée de 600 000 habitants d'origine africaine, chinoise, européenne, indienne, indonésienne et malgache.
Elle est située dans l'Océan Indien, à l'est de l'Afrique, et son littoral est constitué de 207 km de côtes au pied des montagnes, dont 30 km de plages. La Réunion est une petite île presque ronde. C'est une montagne posée sur la mer que dominent deux pics : le Piton des Neiges (3069 m) et le Piton de la Fournaise (2632 m), un volcan toujours en activité qui entre régulièrement en éruption.

Un peu d'histoire

Jusqu'au milieu du XVIIe siècle, l'île était inhabitée. C'est en 1638 que la petite île devint possession du roi de France, pour être utilisée comme prison. Les premiers colons s'y installent à partir de 1663, développant la culture du café et l'esclavage. Les esclaves étaient capturés par des négriers sur les côtes de Madagascar et d'Afrique de l'Est, puis transportés et vendus aux colons français de la Réunion. En 1848, l'esclavage est aboli. Pour cultiver la canne, on fait alors appel à une population issue des côtes sud-est de l'Inde. Ces Tamouls apportent alors leur mode de vie et leur religion, l'hindouisme. Plus tard, l'île connaîtra d'autres flux de migrations ; elle verra arriver les Indiens musulmans venus du Goujrat et des chinois. En 1946, l'île obtient le statut de Département français d'outre-mer.

Langue et culture métissées

Les Réunionnais d'aujourd'hui sont donc issus de ce métissage de cultures. Pour se comprendre, les habitants de la colonie ont forgé un créole épicé de mots d'origine malgache ou tamoule. Mais la grande majorité de la population s'exprime en français, qui est la langue officielle.
Les pratiques religieuses sont très présentes dans la vie quotidienne d'une majorité d'habitants. L'hindouisme est présent sur les façades des temples qui fleurissent dans toute l'île. Entre octobre et novembre, la fête de la lumière, le « Dipavali », réunit des milliers de fidèles. Les processions et les spectaculaires « marches sur le feu » sont organisées selon le rythme d'un calendrier ancestral.

La nature en fête

Le climat de l'île est tropical : la température sur la côte varie entre 18 et 31 degrés tandis que, en altitude, elle peut chuter à 4 degrés. Grâce à cette variété, une flore originale s'est développée sur le littoral comme dans les forêts de montagne. De nombreuses plantes, issues de tous les rivages tropicaux, ont été apportées par l'homme. On y trouve des palmiers de tous les continents et, dans les bois, des orchidées sauvages.

MÉMENTO GRAMMATICAL

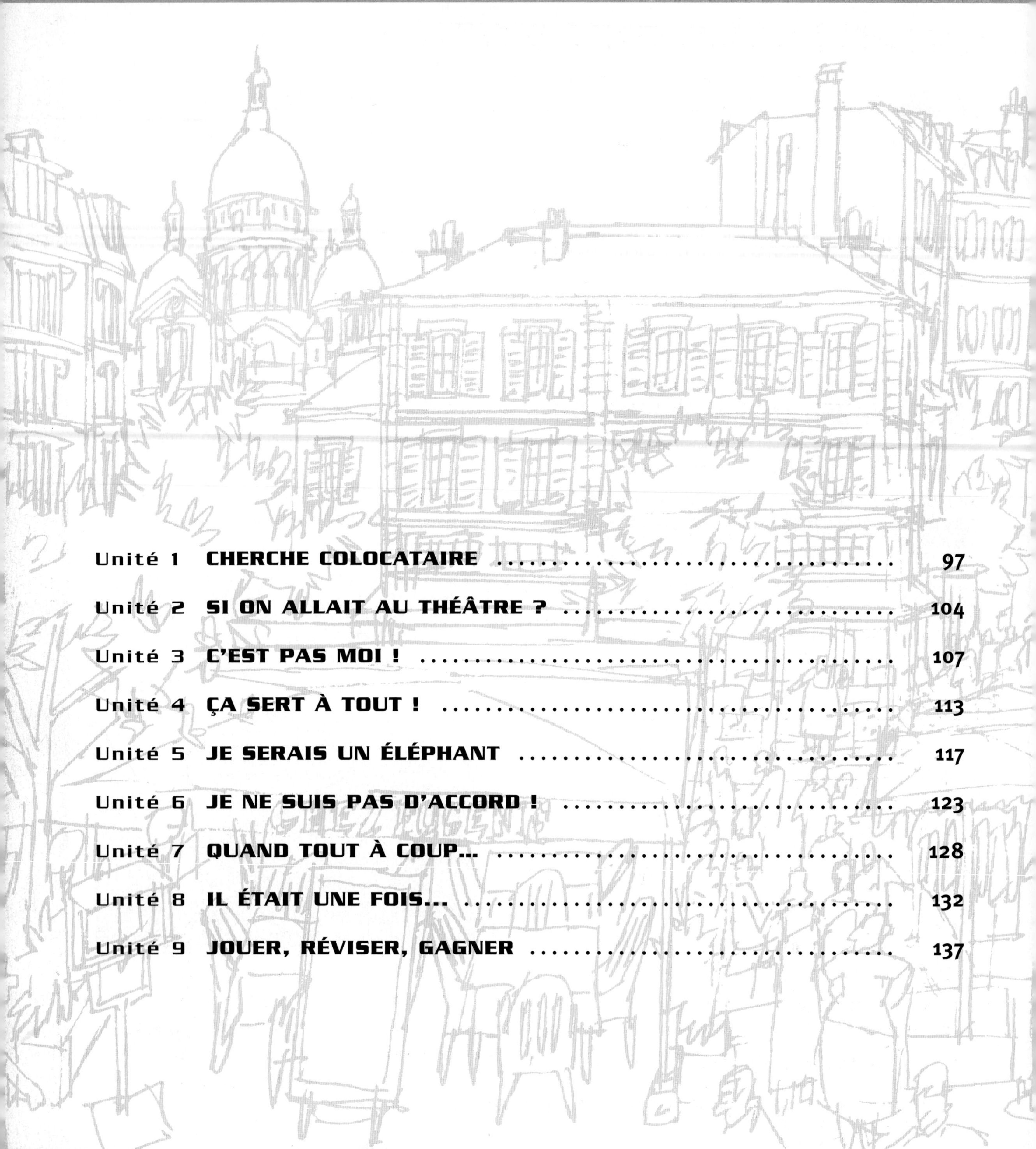

CHERCHE COLOCATAIRE

PARLER DE NOS GOÛTS ET DE NOTRE MANIÈRE D'ÊTRE : LE PRÉSENT

Le présent de l'indicatif s'utilise pour parler de nos goûts et de notre manière d'être.

j'aime	la musique brésilienne / ces robes / ... (NOM)
j'adore	cuisiner / danser / ... (INFINITIF)
je déteste	

la musique brésilienne / cette robe / ... (NOM)	**me** **te** **lui** **nous** **vous** **leur**	**plaît**
cuisiner / danser / ... (INFINITIF)		

Je (ne) supporte (pas)	le désordre / la musique techno / ... (NOM)

NOM SINGULIER Le bruit / la fumée de cigarette / ...	(ne) me plaî**t** (pas).
	(ne) me dérang**e** (pas).
	(ne) m'irrit**e** (pas).
	(ne) me gên**e** (pas).
NOM PLURIEL Les enfants / les chats / ...	(ne) me plais**ent** (pas).
	(ne) me dérang**ent** (pas).
	(ne) m'irrit**ent** (pas).
	(ne) me gên**ent** (pas).

Tous les verbes n'ont pas les mêmes désinences au présent.

Les verbes en **-er** comme **aimer** : -**e**/-**es**/-**e**/-**ons**/-**ez**/-**ent**
Les verbes en **-re** comme **prendre** : -**s**/-**s**/**Ø**/-**ons**/-**ez**/-**ent**
Les autres verbes : -**s**/-**s**/-**t**/-**ons**/-**ez**/-**ent**

Certains verbes ont une seule racine ou base phonétique pour toutes les personnes.

AIMER

j'**aim**	-e	[ø]
tu **aim**	-es	[ø]
il/elle **aim**	-e	[ø]
nous **aim**	-ons	[ɔ̃]
vous **aim**	-ez	[e]
ils/elles **aim**	-ent	[ø]

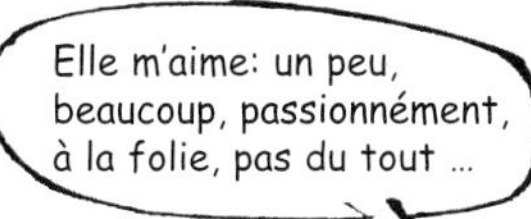

Certains verbes ont deux ou trois racines ou bases phonétiques.

Les verbes avec deux bases phonétiques ont la même base pour **je**, **tu**, **il**/**elle**/**on** et **ils**/**elles**, et une autre pour **nous** et **vous**.

PRÉFÉRER (**préfèr-préfér**)	
je **préfèr**e	
tu **préfèr**es	
il/elle/on **préfèr**e	
	nous **préfér**ons
	vous **préfér**ez
ils/elles **préfèr**ent	

La même base pour les trois premières personnes et une autre base pour les personnes du pluriel.

DORMIR (**dor-dorm**)	
je **dor**s	
tu **dor**s	
il/elle/on **dor**t	
	nous **dorm**ons
	vous **dorm**ez
	ils/elles **dorm**ent

Une base pour les trois premières personnes du singulier, une base pour **nous** et **vous**, et une autre base pour **ils/elles**.

BOIRE (**boi-buv-boiv**)		
je **boi**s		
tu **boi**s		
il/elle/on **boi**t		
	nous **buv**ons	
	vous **buv**ez	
		ils/elles **boiv**ent

Au présent, certains verbes fréquemment utilisés ont des formes très différentes de leur forme à l'infinitif. C'est le cas des verbes irréguliers **être**, **avoir** et **faire**.

ÊTRE	AVOIR	FAIRE
je **suis**	**j'ai**	je **fais**
tu **es**	tu **as**	tu **fais**
il/elle/on **est**	il/elle/on **a**	il/elle/on **fait**
nous **sommes**	nous **avons**	nous **faisons**
vous **êtes**	vous **avez**	vous **faites**
ils/elles **sont**	ils/elles **ont**	ils/elles **font**

AVOIR L'AIR

Avoir l'air suivi d'un adjectif exprime une impression ou une ressemblance.

● *Quelle impression vous fait Nathalie Reine ?*
❍ *Elle **a l'air sympathique**.*

L'adjectif s'accorde avec **air**, au masculin singulier, quand l'impression vient d'un indice visuel (aspect, mine, ressemblance, physionomie de la personne).

*Tu as vu ses cernes ? Elle **a l'air** très fatigu**é** !*

Quand l'impression vient d'indices non visuels, lorsque l'expression a le sens de « doit être », l'adjectif s'accorde avec le sujet.

● *Comment tu trouves ta nouvelle collègue ?*
❍ *Eh bien, elle est très sympa, mais elle a l'air un peu désordonn**ée**.*
● *Ah oui ? Pourquoi tu dis ça ?*
❍ *Elle perd tout.*

La tendance actuelle est d'accorder avec le sujet dans tous les cas.

j'**ai l'air**	fatigué/e
tu **as l'air**	satisfait/e
il/elle/on **a l'air**	content/e
nous **avons l'air**	surpris/es
vous **avez l'air**	sympathique/s
ils/elles **ont l'air**	sérieux/ses

PLUTÔT

Plutôt indique un choix entre deux qualités opposées.

● *Il est petit ton appartement ?*
❍ *Non, il est **plutôt** grand. Il fait 100 m² et il y a un grand balcon.*

Plutôt permet aussi au locuteur de ne pas être catégorique et d'indiquer une tendance.

● *Il est comment le nouveau prof d'informatique ?*
❍ *Il a l'air sympa.*
■ *Je ne suis pas d'accord ! Il est **plutôt** bizarre !*

TELLEMENT, SI

Tellement et **si** se placent devant un adverbe ou un adjectif et expriment une très grande intensité pour le locuteur. (Pour les degrés d'intensité, voir ***Rond-point 1***, page 101.)

● *Tu aimes Brad Pitt ?*
❍ *Oui, j'adore. Il joue **si** bien et il est **tellement** beau !*

Tellement et **si** sont interchangeables.

*Il joue **tellement** bien et il est **si** beau !*

SITUER QUELQUE CHOSE ET GUIDER QUELQU'UN DANS L'ESPACE

À droite de, à gauche de, à côté de, en face de, devant, derrière, en haut de, en bas de, au bout de, au-dessus de, au-dessous de, ... servent à situer un objet ou un lieu par rapport à un autre.

● *Pardon Monsieur, pourriez-vous me dire où se trouve la poste ?*
❍ *Oui, elle est **en face de** l' église.*
● *Et où est l' église, s' il vous plaît ?*
❍ ***Derrière** l' hôtel de ville.*

Devant et **derrière** ne sont pas suivis de la préposition **de**.

Derrière ~~de~~ l' hôtel de ville.
Devant ~~de~~ la piscine municipale.

La préposition **de** se contracte devant les articles **le** et **les**. Ainsi, de + le devient **du**, et de + les, **des**.

● *Où est-ce que tu habites ?*
❍ *En face **du** cinéma Le Rex.* ❍ *En fa~~ce de le ci~~néma.*

● *Où sont les toilettes, s' il vous plaît ?*
❍ *En bas **des** escaliers.* ❍ *En b~~as de les e~~scaliers.*

À droite, à gauche, tout droit permettent de guider dans l'espace. **Jusqu'à** indique le point d'arrivée.

● *Pardon Monsieur, pour aller à la poste ?*
❍ *Allez **tout droit jusqu'à** la boulangerie puis tournez **à droite**.*

Jusqu'à se contracte devant les articles **le** et **les**. Jusqu'à + le devient jusqu'**au**, et jusqu'à + les, jusqu'**aux**.

*Allez jusqu' **au** carrefour et tournez à droite.*

*J' ai marché jusqu' **aux** galeries commerciales puis j' ai pris le métro.*

Avec un nom de pays ou de région au féminin singulier, **jusqu'à** devient **jusqu'en**.

*Les Vikings sont arrivés **jusqu'en** Amérique au VIIe siècle.*

L'IMPÉRATIF

L'impératif est un mode verbal qui permet d'exprimer un ordre, une recommandation, un conseil et pour cette raison, il s'utilise souvent pour indiquer le chemin à quelqu'un.

● *Pardon Monsieur, pour aller à la poste ?*
❍ ***Allez** tout droit jusqu' à la boulangerie puis **tournez** à droite.*

● *Comment on va chez toi ?*
❍ *C' est facile, **prends** le métro jusqu' à la Porte de Clignancourt et quand tu arrives, **passe-moi** un coup de fil.*

À l'impératif, il y a seulement trois personnes et on n'utilise pas les pronoms personnels sujets. Pour le former, on part des formes au présent.

Prends !	Ne prends pas !	Va !*	Ne va pas !	Tourne !*	Ne tourne pas !
Prenons !	Ne prenons pas !	Allons !	N'allons pas !	Tournons !	Ne tournons pas !
Prenez !	Ne prenez pas !	Allez !	N'allez pas !	Tournez !	Ne tournez pas !

* Pour les verbes en **-er,** le **-s** de la deuxième personne au présent disparaît à l'impératif.

- ***Va** chez ta grand-mère et surtout ne **parle** pas avec des inconnus !*

Les verbes pronominaux à l'impératif affirmatif sont suivis des pronoms toniques (**toi**, **nous**, **vous**).

SE LEVER	Lève-**toi** !	Ne te lève pas !
S'AMUSER	Amusez-**vous** !	Ne vous amusez pas !

Les verbes **être** et **avoir** ont une forme propre à l'impératif.

ÊTRE	**Sois** sage !	**Soyons** prêts !	**Soyez** aimables !
AVOIR	N'**aie** pas peur !	N'**ayons** pas peur !	**Ayez** l'air aimable !

EXPRIMER UN DÉSIR : LE CONDITIONNEL

Le conditionnel est un des modes du virtuel, c'est-à-dire que l'action est vue comme possible ou hypothétique. Le conditionnel sert donc à exprimer un désir.

● *Quelle personne célèbre est-ce que **tu aimerais** rencontrer ?*
❍ *Moi, **j'aimerais** bien rencontrer la reine d'Angleterre !*
● *Tu plaisantes ?*
❍ *Oui, bien sûr ! C'est absolument impossible !*

Le conditionnel sert aussi à demander ou à exprimer quelque chose avec prudence ou très poliment.

*Est-ce que **tu pourrais** me prêter ta voiture ce week-end ?*

● *Je me sens très fatigué ces derniers temps !*
❍ ***Tu devrais** prendre un peu de vacances et oublier le travail.*

AIMER			
j'aimer**ais**	[ɛ]	nous aimer**ions**	[iõ]
tu aimer**ais**	[ɛ]	vous aimer**iez**	[ie]
il/elle aimer**ait**	[ɛ]	ils/elles aimer**aient**	[ɛ]

Remarque : **ai** peut se prononcer [e] ou [ɛ], en fonction des mots et des aires linguistiques.

VERBES RÉGULIERS		
rencontrer	**rencontrer-**	-ais
inviter	**inviter-**	-ais
sortir	**sortir-**	-ait
préférer	**préférer-**	-ions
écrire	**écrir-**	-iez
prendre	**prendr-**	-aient

VERBES IRRÉGULIERS		
être	**ser-**	-ais -ais -ait -ions -iez -aient
avoir	**aur-**	
faire	**fer-**	
savoir	**saur-**	
aller	**ir-**	
pouvoir	**pourr-**	
devoir	**devr**	
voir	**verr-**	
vouloir	**voudr-**	
venir	**viendr-**	
valoir	**vaudr-**	

POSER DES QUESTIONS

Il existe trois manières de poser une question.

À l'oral et dans un registre de langue familier, on exprime l'interrogation avec une **intonation montante**, en gardant la construction de la phrase affirmative.

Vous êtes français ?
Hélène est française ?

Dans un registre de langue standard, on exprime l'interrogation avec **est-ce que**, placé au début de l'interrogation.

***Est-ce que** vous êtes français ?*
***Est-ce qu'**Hélène est française ?*

Dans un registre de langue soutenu, on exprime l'interrogation avec une **inversion du verbe + pronom personnel sujet**.

***Êtes-vous** français ?*
*Hélène **est-elle** française ?*

Dans ce cas, il y a un trait d'union entre le verbe et le pronom.

Avez-vous déjà vécu en colocation ?
Aimes-tu le hip-hop ?

LES MOTS INTERROGATIFS : OÙ, QUAND, COMMENT, COMBIEN, POURQUOI

Normalement, à l'oral, l'intonation est légèrement montante sur la dernière syllabe.

Vous partez quand ?   *Quand est-ce que vous partez ?*   *Quand partez-vous ?*

À l'oral, dans un registre de langue familier, les mots interrogatifs se situent à la fin de la question.

***Comment** il s' appelle ?*	*Il s' appelle **comment** ?*
***Où** tu vas ?*	*Tu vas **où** ?*
***Combien** coûte le loyer ?*	*Le loyer coûte **combien** ?*

Quand la question est formulée avec **une inversion** (voir ci-dessus « Poser des questions »), on ajoute **-t-** entre deux voyelles pour faciliter la prononciation.

*Comment s' appelle-**t**-il ?*   *Pourquoi étudie-**t**-elle autant ?*

LES MOTS INTERROGATIFS : QUI, QUE/QU'

Le mot interrogatif **qui** se réfère à une personne et ne s'apostrophe jamais.

● ***Qui** est-ce ?*
❍ *C' est Hervé, le frère de Céline.*

● *Avec **qui** est-ce que tu sors ce soir ?*
❍ *Avec Tim et Caroline.*

Quand le mot interrogatif **qui** est aussi sujet du verbe, il ne peut pas être à la fin de la question.

***Qui** a téléphoné ?*
***Qui** est là ?*

Le mot interrogatif **que** se réfère à une chose et s'apostrophe devant une voyelle.

● ***Qu'**est-ce que vous prenez ?*
❍ *Moi, un café.*
■ *Moi, de l' eau minérale.*

● ***Qu'**étudie-t-elle ?*
❍ *L' arabe.*

LES ADJECTIFS INTERROGATIFS : QUEL, QUELLE, QUELS, QUELLES

Les adjectifs interrogatifs s'accordent avec le nom auquel ils se rapportent.

MASCULIN SINGULIER	**Quel** âge avez-vous ?
FÉMININ SINGULIER	**Quelle** est votre formation ?
MASCULIN PLURIEL	**Quels** sont vos projets ?
FÉMININ PLURIEL	**Quelles** sont ses propositions ?

Quand **être** est le verbe, on ne peut pas formuler la question avec **quel/le/s/les** + **est-ce que**.

***Quel est** votre âge ?*
***Quel** âge **est-ce que** vous avez ?*

***Quelle est** votre formation ?*
***Quelle** formation **est-ce que** vous avez ?*

SI ON ALLAIT AU THÉÂTRE ?

DÉCRIRE ET ÉVALUER UN SPECTACLE, UN FILM

Pour parler d'un spectacle, l'approuver ou le critiquer, on peut utiliser plusieurs formules.

C'était + (très) ADJECTIF

- *Ce film, **c'était nul** !*
- ❍ *Mais non ! **C'était génial** !*

*Ce spectacle de danse, **c'était très** original, tu ne trouves pas ?*

Pour insister sur l'appréciation, on peut répéter plusieurs fois **très** ou utiliser **vraiment**.

- *Ce concert de musique, c' était **vraiment** génial !*
- ❍ *Ah, oui ? Tu trouves ?*
- *Oui, vraiment **très très** chouette.*

On peut aussi dire :

*C' était **très bien** hier en discothèque !*

Pour donner une opinion plus tempérée :

*C' était **pas mal**.* *J' ai **bien aimé**.*

Il y avait plein de + SUBSTANTIF

Pour décrire des événements à l'oral, on peut aussi utiliser **plein de** qui est un synonyme de **beaucoup de**.

- *Tu as vu? Il y avait **plein de** monde au Festival de la Publicité !*
- ❍ *Ouais, il y avait **plein de** gens sympas.*

PROPOSER, SUGGÉRER DE FAIRE QUELQUE CHOSE

On peut employer plusieurs structures pour proposer à quelqu'un de faire quelque chose.

Ça me/te/lui/nous/vous/leur dit de/d' + INFINITIF

- ***Ça te dit d'aller** prendre un verre ?*
- ❍ *Oui, d' accord, à six heures au Ricot ?*

Ça **me** dit d'aller en boîte.
Ça **te** dit d'aller au ciné ?
Ça **lui** dit d'aller manger une pizza.
Ça **nous** dit de regarder la télé.
Ça **vous** dit de faire du ski ?
Ça **leur** dit de visiter un musée.

Une façon délicate de faire une proposition sans brusquer l'interlocuteur est d'utiliser le conditionnel.

***Ça te dirait de** venir chez moi demain ?*

Si on + IMPARFAIT ?

Pour inciter quelqu'un ou lui proposer de faire quelque chose avec vous.

● *Et **si on allait** au cinéma ce soir ?*
❍ *Oui, d' accord, à quelle heure ?*

***Si on faisait** des crêpes ?*

***Si on organisait** une fête ?*

Le **on** a ici la signification de « nous », mais il se conjugue comme à la 3e personne du singulier.

Avoir envie de + INFINITIF / NOM

Cette structure sert à exprimer le désir de faire quelque chose ou le désir de quelque chose.

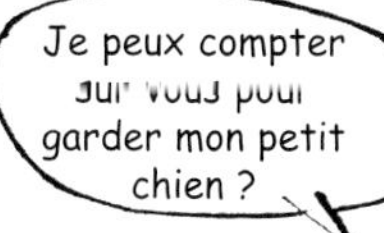

● ***Tu as envie de danser** ?*
❍ *Oui, allons en boîte !*

● ***J'ai envie d'une glace** au chocolat, et toi ?*
❍ *Moi, **j'ai envie d'un bon café au lait**.*

ACCEPTER OU REFUSER UNE PROPOSITION

Vous acceptez sans prendre une décision complètement définitive.

● *On va au cinéma ce soir ?*
❍ *D' accord, **pourquoi pas** ?*

Vous refusez en donnant une excuse.

***Désolé, je ne peux pas,** je ne suis pas libre.*

Vous pouvez continuer en expliquant pourquoi vous refusez.

***Désolé, je ne peux pas,** je ne suis pas libre, je dois aller dîner chez...*

PRENDRE / DONNER / AVOIR RENDEZ-VOUS

Si vous prenez l'initiative du rendez-vous.

***J'ai pris rendez-vous chez le dentiste** mardi prochain à 17 heures.*

Si vous avez organisé un rendez-vous, seul ou avec quelqu'un d'autre.

***J'ai donné rendez-vous** à Martin devant le cinéma Rodin.*
***On s'est donné rendez-vous** chez lui à 8 heures.*

Vous n'êtes pas spécialement à l'origine de ce rendez-vous.

J'ai rendez-vous *avec Nadia, elle m' a téléphoné hier au soir, on se voit demain.*

Vous prenez rendez-vous pour bénéficier d'un service.

J'ai rendez-vous *chez le coiffeur la semaine prochaine.*

LES MOMENTS DE LA JOURNÉE

La journée est découpée en trois parties : **le matin, l'après-midi** et **le soir.**

Samedi matin, *on joue au basket et* ***samedi après-midi,*** *on va au festival de ciné.*

Quand on utilise **matinée** et **soiree**, on insiste sur la durée qui compose cet espace temporel. C'est la même chose avec **jour/journée, an/année.**

J' ai passé ***la matinée*** *à faire le ménage.* (J'ai fait la lessive, puis j'ai nettoyé les vitres, et enfin, j'ai repassé).

INDIQUER UN LIEU

à Berlin
au centre ville
dans le quartier chinois
pas loin du métro Saint Michel
à côté de la boutique de vêtements/**du** bar Les trois vents
(tout) près de la fac/**du** port
(juste) à côté de la gare/**du** stade
(juste) en face de la poissonnerie/**du** magasin de sport
devant le restaurant
au coin de la rue Cigor et **de** la rue Dumont
sur la place du marché
à la plage/**au** café des sports/**à l'**hôtel
au 3, rue Victor Hugo

● *On va où ce soir ?*
❍ *Chez Arsène,* ***au 10, rue*** *de la Loupette.*

● *Je connais une librairie géniale.*
❍ *Elle est où ?*
● *Place Wilson,* ***tout près de*** *la faculté !*

C'EST PAS MOI !

L'IMPARFAIT

L'imparfait situe une action au passé sans signaler ni le début ni la fin de l'action. L'imparfait sert aussi à parler de nos habitudes dans le passé, à décrire des personnes, des choses, une action en cours dans le passé ou à décrire les circonstances qui ont entouré un événement.

Pour obtenir la base de l'imparfait, il faut partir de la première personne du pluriel du présent.

PRÉSENT	IMPARFAIT	
nous **dorm**ons	je dorm**ais**	[ɛ]
	tu dorm**ais**	[ɛ]
	il/elle/on dorm**ait**	[ɛ]
	nous dorm**ions**	[iõ]
	vous dorm**iez**	[ie]
	ils/elles dorm**aient**	[ɛ]

Attention ! ÊTRE

j'**étais** — nous **étions**
tu **étais** — vous **étiez**
il/elle/on **était** — ils/elles **étaient**

Emploi

L'imparfait sert à décrire des habitudes dans le passé.

PRÉSENT	IMPARFAIT
Tous les matins, **elle se lève** à 6 heures.	À cette époque-là, **elle se levait** tous les matins à 6 heures.
À notre époque, les gens **travaillent** seulement 8 heures par jour.	Autrefois, les gens **travaillaient** 14 heures par jour.

Il sert aussi à décrire une action en cours dans le passé.

- *Que **faisiez**-vous hier à 17 heures ?*
- *Moi, je **regardais** la télévision.*
- *Moi, je **prenais** un café avec un copain.*

Dans ce cas, on peut dire aussi :

*J' **étais en train** de regarder la télévision.*
*J' **étais en train** de prendre un café avec un copain.*

Il sert également à décrire des choses ou des personnes dans le passé.

- *Comment **était**-il ? Vous pouvez le décrire ?*
- *Il **était** grand. Il **portait** une veste marron et un pantalon noir.*

- *Décrivez-moi ce que vous avez vu.*
- *Et bien, **c'était** une sorte de sphère, très lumineuse. Il y **avait** une petite porte...*

Enfin, l'imparfait sert à décrire les circonstances qui situent ou expliquent un événement.

*J' **étais** fatigué alors je me suis couché tôt.*
*De la fumée **sortait** du moteur alors je me suis arrêté.*
*Je ne suis pas venu en cours parce que j' **étais** malade.*

LE PASSÉ COMPOSÉ

Le passé composé sert à raconter un événement du passé qui est déjà achevé.

*Lundi 5 juillet, deux hommes **ont attaqué** la superette de la rue des Rosiers. Ils **ont menacé** les clients et le personnel avec des armes à feu et ils **ont emporté** l' argent de la caisse. La police les **a arrêtés** le lendemain matin.*

Formation

Le passé composé est formé d'un auxiliaire (**avoir** ou **être**) au présent de l'indicatif, suivi du participe passé du verbe. La plupart des verbes se conjuguent avec l'auxiliaire **avoir**.

● *Qu' est-ce que vous **avez fait** samedi ?*
❍ *Moi, j' **ai étudié** toute la journée.*
■ *Moi, j' **ai fait** les courses et le ménage.*
❐ *Moi, je **suis allé** au cinéma.*

ÉTUDIER		ALLER	
j'**ai** tu **as** il/elle/on **a** nous **avons** vous **avez** ils/elles **ont**	**étudié**	je **suis** tu **es** il/elle/on **est** nous **sommes** vous **êtes** ils/elles **sont**	**allé/e/s/es**

Les verbes qui expriment la transformation du sujet d'un état à un autre ou d'un lieu à un autre, se conjuguent avec l'auxiliaire **être**. Les verbes pronominaux se construisent aussi avec le passé composé.

*Je **me suis réveillée** très tôt ce matin.*
*Ils **se sont mariés** à Amsterdam.*

SE RÉVEILLER	
je **me suis** tu **t'es** il/elle/on **s'est** nous **nous sommes** vous **vous êtes** ils/elles **se sont**	**réveillé/e/s/es**

Enfin, l'auxiliaire **être** s'utilise également dans le cas de certains verbes intransitifs, c'est-à-dire qui n'acceptent pas de complément d'objet, de leurs contraires sémantiques et, généralement, de leurs dérivés : **naître, mourir, venir, devenir, revenir, apparaître, arriver, partir, entrer, aller, rester, tomber, demeurer...**

● *Tu **es** finalement **parti** en vacances ?*
❍ *Non, je **suis resté** tranquillement chez moi.*

Attention ! Certains verbes, également intransitifs et qui signalent un déplacement, se conjuguent avec **avoir**.

*J'**ai couru** toute la journée !*
*Nous **avons** beaucoup voyagé l'été dernier.*
*Ils **ont marché** pendant des heures.*

Je ~~suis~~ couru toute la journée !
Nous ~~sommes~~ beaucoup voyagé.
Ils ~~sont~~ marchés pendant des heures.

Les verbes **monter**, **descendre**, **sortir**, **passer**, **retourner**, **rentrer** se conjuguent avec l'auxiliaire **être** quand ils sont intransitifs.

*L'ascenseur ne marche pas, je **suis monté** à pied.*
*Samedi soir, je **suis sorti** avec mes amis.*

Mais ils se conjuguent avec l'auxiliaire **avoir** quand ils sont transitifs.

*Xavier est vraiment en forme, il **a monté les escaliers** en courant.*

● *Est-ce que tu **as sorti** le chien ?*
❍ *Oui, je **l'ai sorti** il y a une demi-heure.*

À la forme négative

À la forme négative, les particules **ne** et **pas** encadrent l'auxiliaire.

*Je **ne** me suis **pas** réveillé ce matin. Mon réveil **n'** a **pas** sonné.*
*C'est un film horrible, nous **ne** sommes **pas** restés jusqu'à la fin.*

En langue orale, **ne** disparaît souvent.

● *Vous êtes sortis hier ?*
❍ *Non, on est **pas** sorti.*

LES PARTICIPES PASSÉS

À l'écrit, il y a huit terminaisons différentes de participe passé, mais à l'oral, il n'y en a que cinq.

-é	[e]	Lulu et moi, on s'est **rencontré** à Londres.
-i	[i]	Je n'ai pas **fini** mon travail.
-it	[i]	Julien a **conduit** toute la nuit.
-is	[i]	Ils ont **pris** le train de nuit.
-ert	[er]	Mes amis m'ont **offert** un super cadeau.
-u	[y]	Vous avez **lu** le dernier roman de Nothomb ?
-eint	[ɛ̃]	Qui a **peint** la Joconde ?
-aint	[ɛ̃]	Un client s'est **plaint** au directeur de la revue.

Attention ! Faites bien la différence entre le présent et le passé composé.

je *[ə] finis / j'**ai** [e] fini*   ***je*** *[ə] fais / j'**ai** [e] fait*   ***je*** *[ə] dis / j'**ai** [e] dit*

L'accord

Quand un verbe se conjugue avec l'auxiliaire **être**, le participe passé s'accorde normalement avec le sujet.

*Alain est **rentré** cette nuit à une heure du matin.*	(MASCULIN SINGULIER)
*Elle est **rentrée** à 8 heures chez elle hier soir.*	(FÉMININ SINGULIER)
*René et Thierry sont **rentrés** à 11 heures du soir.*	(MASCULIN PLURIEL)
*Estelle et Julie sont **rentrées** à 10 heures du soir.*	(FÉMININ PLURIEL)

Quand un verbe se conjugue avec l'auxiliaire **avoir**, le participe passé ne s'accorde pas avec le sujet. Mais quand l'objet direct est placé avant le verbe, le participe passé s'accorde avec cet objet direct.

● *Tu as sorti le chien ?*
○ *Oui, je **l'** ai **sorti** il y a une demi-heure.* (MASCULIN SINGULIER)

● *Elle est jolie cette chemise !*
○ *Oui, c'est **une chemise** en soie que j'ai **achetée** en Chine.* (FÉMININ SINGULIER)

● *Et les malfaiteurs ?*
○ *Ce matin, la police **les** a **arrêtés**.* (MASCULIN PLURIEL)

● *Est-ce que tu as vu Hélène et sa sœur ?*
○ *Non, je ne **les** ai pas **vues**.* (FÉMININ PLURIEL)

La place des adverbes

Les adverbes se placent normalement après le verbe conjugué. Par conséquent, au passé composé, les adverbes se placent après l'auxiliaire.

Il (n') **a** (pas)	**encore** **beaucoup** **trop** **assez** **bien** **mal**	travaillé dormi bu

SITUER DANS LE TEMPS

Hier, **Hier matin,** **Hier après-midi,** **Hier soir,** **Avant-hier,**	je suis allé au cinéma.

Pour préciser qu'il s'agit d'un moment de la journée en cours, on utilise les adjectifs démonstratifs **ce**, **cet** et **cette**.

ce matin
ce midi
cet après-midi
ce soir
cette nuit

● *Quand est-ce qu'elle est partie ?*
○ ***Ce matin.***
● *Et quand est-ce qu'elle va rentrer ?*
○ ***Cette nuit.***

Dimanche / lundi / mardi / mercredi*... j'ai joué au football.*

Pour annoncer l'heure exacte à laquelle quelque chose a (eu) lieu, on utilise la préposition **à**.

● *À quelle heure commence le film ?*
○ ***À*** *dix heures trente.*

Heures approximatives

● *À quelle heure est-ce que vous êtes sorti hier soir ?*
○ ***Vers*** *19 heures.*
À 20 heures ***environ****.*
Il était environ *minuit.*
Il devait être *5 heures et demi.*

LA SUCCESSION DES ÉVÉNEMENTS : D'ABORD, APRÈS, ENSUITE, PUIS...

Des mots comme **d'abord**, **ensuite**, **puis**, **après** et **enfin** indiquent la succession des événements dans un récit.

D'abord*, j'ai pris mon petit déjeuner.*
Ensuite*, je me suis douché.*
Puis*, je me suis habillé.*
Après*, je suis sorti.*
Et puis*, j'ai pris l'autobus.*
Enfin*, je suis arrivé au travail.*

Un moment antérieur

+ NOM
Avant *les examens, j'étais très nerveux.*

+ INFINITIF
Avant de *me coucher, je me suis douché.*

Un moment postérieur

+ NOM
Après *le déjeuner, ils ont joué aux cartes.*

+ INFINITIF PASSÉ
Après avoir déjeuné*, ils ont joué aux cartes.*

L'infinitif passé se forme avec l'auxiliaire **être** ou **avoir** à l'infinitif suivi du participe passé du verbe.

J'ai décidé de devenir médecin ***après avoir vu*** *le film « Johnny s'en va-t-en guerre » de Dalton Trumbo.*

Après être montés *jusqu'au sommet du Mont-Blanc, à 4 807 mètres d'altitude, ils sont redescendus jusqu'à Chamonix.*

SE RAPPELER, SE SOUVENIR

Ces deux verbes sont synonymes.

● *Tu crois qu'elle a oublié notre rendez-vous ?*
❍ *Impossible, elle a une mémoire incroyable, elle* ***se rappelle/souvient*** *toujours de tout.*

Rappeler a deux racines ou bases phonétiques (**rappell-rappel**). Devant **e muet,** le verbe double le **l**.

SE RAPELLER (**rappell-rappel**)			
je me rappel**le**	[ø]		
tu te rappel**les**	[ø]		
il/elle/on se rappel**le**	[ø]		
		nous nous rappel**ons**	[ɔ̃]
		vous vous rappel**ez**	[e]
ils/elles se rappel**lent**	[ø]		

Souvenir a trois racines ou bases phonétiques (**souvien-souven-souvienn**) : une base pour les trois premières personnes du singulier, une base pour **nous** et **vous**, et une autre base pour **ils/elles.**

SE SOUVENIR (**souvien-souven-souvienn**)		
je me **souvien**s		
tu te **souvien**s		
il/elle/on se **souvien**t		
	nous nous **souven**ons	
	vous vous **souven**ez	
		ils/elles se **souvienn**ent

ÇA SERT À TOUT !

LA MATIÈRE

Pour indiquer en quelle matière est fait un objet, on utilise la préposition **en**.

● *C' est **en** quoi ?*
❍ *C' est **en** plastique.*

un sac **en** **papier**
tissu
cuir
plastique

une boîte **en** **carton**
bois
porcelaine
fer
verre

TAILLES, FORMES ET QUALITÉS

C'est + ADJECTIF.

*C' est **petit**.*
***grand**.*
***plat**.*
***long**.*
***rond**.*
***carré**.*
***rectangulaire**.*
***triangulaire**.*

L'USAGE : ÇA SERT À..., C'EST UTILE POUR..., ÇA PERMET DE... + INFINITIF

● ***À quoi ça sert ?***
❍ ***À enlever** les tâches des vêtements.*

***Ça sert à** écrire.* ***C'est utile pour** ouvrir une bouteille.* ***Ça permet d'**écouter de la musique.*

LE MODE DE FONCTIONNEMENT

Ça marche avec de l'/de la/du/des + SUBSTANTIF.

*Ça marche avec **de l'**essence.*
***de la** vapeur.*
***du** gaz.*
***des** piles.*

On peut spécifier aussi le mode de fonctionnement en utilisant le singulier.

*Ça marche **à l'**essence / **à la** vapeur / **au** gaz.*
Ça marche ~~aux~~ piles.

LES PRONOMINAUX PASSIFS

Pour ne pas préciser qui fait l'action, on peut utiliser une forme pronominale.

*Ça **se lave** facilement / en machine.* (= on peut laver ça facilement / en machine.)
*Ça **se mange**.* (= on peut manger ça.)

Les pronominaux passifs s'emploient également pour décrire un processus qui peut se faire sans l'intervention d'une personne. C'est souvent une manière d'exprimer qu'un objet est très facile à utiliser.

● *C' est difficile à mettre en marche ?*
○ *Non, ça **se met** en marche tout seul. Tu appuies sur ce bouton, c' est tout.*

● *Comment on appelle une porte qui **s'ouvre** toute seule ?*
○ *Une porte automatique.*

PRONOMS RELATIFS : QUI ET QUE

Qui et **que** sont des pronoms relatifs. Ils introduisent des informations supplémentaires sur l'objet ou la personne placés devant eux.

● *Qu' est-ce que tu veux pour ton anniversaire ?*
○ *Je veux une voiture **qui** se transforme en robot intergalactique.*

● *C' est quoi un baladeur ?*
○ *C' est un petit appareil **qu'**on porte sur soi pour écouter de la musique.*

Qui représente le sujet grammatical.

*C' est un objet **qui** est rectangulaire, **qui** marche avec l' électricité et **qui** sert à griller le pain.*

Que représente le complément d'objet direct.

*C' est un objet **que** vous portez dans votre sac ou dans votre poche et **que** vous devez éteindre en classe, au cinéma ou dans un avion.*

LE FUTUR

Emploi

Le futur sert à formuler des prévisions ou à faire des prédictions.

*Demain, il **fera** soleil sur tout le pays.*
*Dans 30 ans, nous **marcherons** sur Mars.*
*Au siècle prochain, tout le monde **parlera** chinois.*
*Bientôt, nous **habiterons** sous la mer.*

Le futur sert aussi à faire une promesse.

*Demain, je **viendrai** te chercher à 16 heures 30.*
*Cet appareil vous **facilitera** la vie.*

Il s'utilise pour demander un service.

*Tu **pourras** acheter le pain, s' il te plaît ?*

Enfin, le futur sert aussi à donner un ordre ou une consigne.

***Vous prendrez** un cachet trois fois par jour après chaque repas.*

Situer dans le temps : périodes et dates

ce soir
demain
après-demain
dans deux jours / une semaine / 5 ans / quelques années / le futur
lundi (prochain)
la semaine prochaine
le mois prochain
l'été prochain
l'année prochaine
le 24 juin

Bientôt, prochainement et **un jour** annoncent que quelque chose se réalisera dans le futur mais sans donner une indication temporelle précise.

*En vente **prochainement** dans votre supermarché, « l'essuie-tout magique » !*
***Bientôt,** il y aura des villes sous la mer.*

● *J'aimerais bien aller en vacances aux Antilles.*
❍ *On ira **un jour**. Je te le promets.*

Formation

Verbes réguliers.

MANGER	**manger-**	-ai -as -a -ons -ez -ont
ÉTUDIER	**étudier-**	
VOYAGER	**voyager-**	
SORTIR	**sortir-**	
DORMIR	**dormir-**	
FINIR	**finir-**	

Verbes qui se terminent par **-re**.

BOIRE	**boir-**	-ai -as -a -ons -ez -ont
ÉCRIRE	**écrir-**	
PRENDRE	**prendr-**	
ENTENDRE	**entendr-**	

Les verbes en **-eter**, **-eler**, **-ever**, **-ener** ou **-eser** redoublent la consonne ou prennent un accent grave devant un **e** muet.

je/j'	jet**t**er- ap**p**eller- ach**è**ter- p**è**ser- l**è**ver- m**è**ner-	-ai
tu		-as
il/elle/on		-a
nous		-ons
vous		-ez
ils/elles		-ont

Les verbes en **-oyer**, **-uyer** changent l'**y** en **i** devant un **e** muet.

je/j'	netto**i**er- essu**i**er-	-ai
tu		-as
il/elle/on		-a
nous		-ons
vous		-ez
ils/elles		-ont

Les verbes irréguliers ont un radical très différent de celui de leur infinitif.

je/j'	(ÊTRE) **ser-** (AVOIR) **aur-** (FAIRE) **fer-** (SAVOIR) **saur-** (ALLER) **ir-** (DEVOIR) **devr-** (POUVOIR) **pourr-** (VOIR) **verr-** (ENVOYER) **enverr-** (MOURIR) **mourr-** (VOULOIR) **voudr-** (VENIR) **viendr-** (VALOIR) **vaudr-**	**-ai**
tu		**-as**
il/elle/on		**-a**
nous		**-ons**
vous		**-ez**
ils/elles		**-ont**

EXPRIMER LA CAUSE : GRÂCE À

Grâce à + SUBSTANTIF exprime une cause considérée comme positive.

Grâce	**à** Internet,	nous ne nous sentons jamais seuls !
	à la télévision,	
	à l'ordinateur personnel,	
	au téléphone,	
	aux satellites,	

Cette structure met en valeur le rôle positif attribué à une personne.

__Grâce à__ mes parents, j'ai pu partir étudier aux États-Unis.

Grâce à peut aussi être suivi des pronoms toniques pour exprimer l'aide apportée **par quelqu'un.**

Grâce à __moi/toi/lui/nous/vous/eux/elles,__ Marie a réussi son examen.

EXPRIMER LE BUT

INFINITIF
Pour ne pas vous fatiguer, *utilisez l'ascenseur !*

INFINITIF
Pour ne plus penser *à vos problèmes, partez en vacances à la Réunion !*

EXPRIMER LA FACILITÉ OU LA SIMPLICITÉ D'UTILISATION : SUFFIR (DE)

Pour obtenir une surface brillante, un simple geste __suffit.__ (= un simple geste est suffisant)

INFINITIF
Pour ouvrir la porte, __il suffit d'__appuyer sur le bouton rouge.

LES PRONOMS COD ET COI

Quand on parle de quelqu'un ou de quelque chose qui a déjà été mentionné ou bien est identifiable grâce au contexte, pour ne pas le répéter, on utilise les **pronoms compléments d'objet direct** (COD) et **compléments d'objet indirect** (COI).

Le complément d'objet direct (COD)

Le COD représente la chose ou la personne sur laquelle s'exerce l'action exprimée par le verbe.

- *Tu regardes beaucoup **la télévision** ?*
- ❍ *Non, je **la** regarde surtout le week-end.*

- *Tu écoutes **le professeur** quand il donne des explications ?*
- ❍ *Bien sûr que je **l'**écoute !*

- *Vous aimez **les huîtres** ?*
- ❍ *Euh non, je ne **les** digère pas très bien.*

*Un véritable ami, c' est quelqu' un qui **nous** écoute, **nous** comprend et **nous** aide.*

	me/m'	
	te/t'	regarde (pas)
	le/l'	écoute (pas)
Il (ne)	**la/l'**	comprend (pas)
	nous	aide (pas)
	vous	aime (pas)
	les	...

Afin d'identifier le COD dans une phrase, on peut poser des questions avec **que** ou **qui**.

- ***Qu'est-ce que** tu regardes ?*
- ❍ *La **télévision**.*

- *Tu écoutes **qui** ?*
- ❍ *Le **professeur**.*

Le complément d'objet indirect (COI)

Le COI est la personne ou la chose qui a un rôle de destinataire de l'action que fait le sujet. Il est introduit par une préposition.

- *Qu' est-ce que vous offrez **à Charlotte** pour son anniversaire ?*
- ❍ *On **lui** offre un pull-over.*

- *Alors, qu' est-ce qu' il **t'**a dit ?*
- ❍ *Il ne **m'**a rien dit.*

- *Est-ce que tu as téléphoné **à tes parents** ?*
- ❍ *Oui, je **leur** ai téléphoné ce matin.*

Afin d'identifier le COI dans une phrase, on peut poser des questions avec **à qui**.

- *Alors, qu' est-ce qu' il a dit **à qui** ?*
- ❍ ***À toi.***

- *Tu as téléphoné **à qui** ?*
- ❍ ***À tes parents.***

<table>
<tr><td rowspan="6">Il (ne)</td><td>me/m'</td><td rowspan="6">téléphone (pas)
offre (pas)
dit (pas)
explique (pas)
parle (pas)
...</td></tr>
<tr><td>te/t'</td></tr>
<tr><td>lui</td></tr>
<tr><td>nous</td></tr>
<tr><td>vous</td></tr>
<tr><td>leur</td></tr>
</table>

Les pronoms COD et COI se placent devant le verbe dont ils sont compléments,

● *Et ton travail ?*
❍ *Je peux **le** faire demain.* *Je ~~le~~ peux faire demain.*

● *Tu as parlé à Marie-Laure ?*
❍ *Je vais **lui** parler ce soir.* *Je ~~lui~~ vais parler ce soir.*

sauf quand le verbe est à l'impératif affirmatif. Dans ce cas, le pronom complément est à la forme tonique (à exception de la troisième personne du singulier et du pluriel) et se place derrière le verbe.

*Regarde-**moi** quand je te parle !*

*Regarde-**la** bien ! Tu ne trouves pas qu' elle ressemble à mamie Marguerite ?*

● *J' ai invité Yvan et Juliette samedi soir.*
❍ *Ah ! Très bien. Explique-**leur** bien le chemin, parce que ce n' est pas facile d' arriver jusqu' ici.*

À l'oral, on utilise souvent les pronoms COD et COI avant même d'avoir mentionné l'élément auquel ils se réfèrent.

*Alors, tu **les** as faits **tes devoirs** ?*

*Qu' est-ce que tu **lui** as acheté **à maman** pour son anniversaire ?*

Avec certains verbes, les pronoms qui représentent une personne sont toujours à la forme tonique : **moi, toi, lui, elle, nous, vous, eux, elles**.

● *Tes parents te manquent beaucoup ?*
❍ *Oui, je pense souvent **à eux**.* *Je ~~leur~~ pense souvent.*

● *J' ai rencontré Elisabeth au supermarché.*
❍ *Ah justement, je pensais **à elle** ce matin.* *Je ~~lui~~ pensais ce matin.*

● *Je vais faire une course, tu veux bien t' occuper **de ton petit frère** ?*
❍ *D' accord, je m' occupe **de lui**.* *Je me ~~lui~~ occupe.*

À l'oral, on trouve parfois les pronoms **y** et **en** pour reprendre des noms de personnes.

● *Tu penses souvent **à tes parents** ?*
❍ *Oui, j' **y** pense souvent.*

● *Je vais faire une course, tu veux bien t' occuper **de ton petit frère** ?*
❍ *D' accord, je m' **en** occupe.*

LES PRONOMS COMPLÉMENTS **Y** ET **EN**

Y et **en** représentent une chose ou une idée.

● *Tu as pensé à acheter un cadeau à papa ? C' est son anniversaire demain.*
❍ *Oui, j' **y** ai pensé.*

● *Est-ce que vous pourriez vous occuper de mes plantes pendant mon absence ?*
❍ *Bien sûr. Partez tranquille, je m' **en** occuperai.*

Y et **en** expriment souvent la situation dans l'espace, mais avec des nuances différentes.

Y reprend un nom de lieu où l'on va ou bien où l'on est.

● *J' irai **à Venise** pour le week-end.*
❍ *Venise ? J' aimerais bien **y** aller un jour !*

● *Tu habites **à Strasbourg** ?*
❍ *Oui, j' **y** habite depuis deux ans.*

En reprend le nom d'un lieu d'où l'on vient.

● *Tu vas **à la piscine** ?*
❍ *Non, j' **en** viens.*

En reprend la notion de quantité.

● *Est-ce qu' il reste **du fromage** dans le frigo ?*
❍ *Non, il n' y **en** a plus.*

● *Pour être dompteur, il faut avoir **du sang-froid**.*
❍ *Oui, il **en** faut beaucoup.*

S'il s'agit d'un nom dénombrable déterminé par **un/e**, la reprise par le pronom **en** demandera en écho l'emploi de **un/une**, du **nombre** approprié, ou d'un **quantificateur**.

● *Pardon Monsieur, est-ce qu' il y a **un parking** par ici ?*
❍ *Oui, il y **en** a **un** sur la place du marché et il y **en** a **deux** autres dans la rue Honoré de Balzac.*

● *Qu' est-ce qu' il pleut ! Tu peux me prêter **un parapluie** jusqu' à demain ?*
❍ *Oui, pas de problèmes. J' **en** ai **plusieurs**.*

FAIRE UNE HYPOTHÈSE DANS LE PRÉSENT

Pour exprimer une action hypothétique dans le présent, on utilise **si** + IMPARFAIT, CONDITIONNEL PRÉSENT.

● ***Si vous gagniez** beaucoup d' argent à la loterie, qu' est-ce que vous **feriez** ?*
❍ *Je **ferais** le tour du monde.*
● *Moi, **j'arrêterais** de travailler.*

● ***Si vous étiez** un animal, quel animal **seriez**-vous ?*
❍ *Moi, **je serais** un éléphant.*

LE CONDITIONNEL

Pour former le conditionnel, il suffit de prendre la base du futur simple et d'ajouter les désinences de l'imparfait.

Être

FUTUR	CONDITIONNEL		
ser-	je **ser-**	**-ais**	[ɛ]
	tu **ser-**	**-ais**	[ɛ]
	il/elle/on **ser-**	**-ait**	[ɛ]
	nous **ser-**	**-ions**	[iõ]
	vous **ser-**	**-iez**	[ie]
	ils/elles **ser-**	**-aient**	[ɛ]

Le conditionnel d'autres verbes

ÉTUDIER	**étudier-**	
AIMER	**aimer-**	
RENCONTRER	**rencontrer-**	
INVITER	**inviter-**	
SORTIR	**sortir-**	**-ais**
DORMIR	**dormir-**	
PRÉFÉRER	**préfèrer-**	**-ais**
ÉCRIRE	**écrir-**	**-ait**
PRENDRE	**prendr-**	
AVOIR	**aur-**	**-ions**
FAIRE	**fer-**	
SAVOIR	**saur-**	**-iez**
ALLER	**ir-**	**-aient**
POUVOIR	**pourr-**	
DEVOIR	**devr-**	
VOIR	**verr-**	
VOULOIR	**voudr-**	
VENIR	**viendr-**	

Pour d'autres usages du conditionnel, voir **Mémento grammatical** de l'Unité 1.

PARLER DE NOS QUALITÉS

Avoir de la/du/de l'

● *Est-ce que vous **avez de la patience** ?*
❍ *Moi oui, j' en ai beaucoup.*
● *Moi non, je n' en ai pas du tout. Je ne pourrais pas m' occuper d' enfants.*

● *Il **a de l'imagination**, cet enfant !*
❍ *Oui, il en a même trop !*

Attention à la forme négative.

*Je n' ai pas **de** patience.*
*Il n' a pas **de** sang-froid.*
*Nous n' avons pas **d'**imagination.*

Je n' ai pas ~~de la~~ patience.
Il n' a pas ~~du~~ sang-froid.
Nous n' avons pas ~~de l'~~ imagination.

Manquer de/d'

L'absence d'une qualité peut s'exprimer aussi avec le verbe **manquer de/d'** + SUBSTANTIF.

- *Est-ce que tu as de la patience ?*
- ❍ *Non, je **manque de patience**.*

- *Tu l' imagines écrivain ?*
- ❍ *Non, pas du tout. Il **manque d'** imagination.*
- *Oui, et il **manque de** constance aussi.*

AVOIR PEUR

Avoir peur du/de la/de l'/des + SUBSTANTIF.

*Joana **a peur du vide**.*
*Éric **a peur de la pollution**.*
*Danièle **a peur de l'eau**.*
*Alain **a peur des chiens**.*
*Maman **a peur de tout**.*
*Et moi, je n' **ai peur de rien** !*

Avoir peur de + INFINITIF.

- *Pourquoi tu ne viens pas en voiture ? C' est beaucoup plus pratique.*
- ❍ *Oui, je sais mais **j'ai peur de me perdre** dans les rues de Paris.*

COMPARER

Comme

Comme établit des similitudes entre deux choses ou deux êtres.

- *Tu ne trouves pas que Rémy ressemble vraiment beaucoup à son père ?*
- ❍ *Totalement ! Il est exactement **comme** Christophe quand il était petit. La copie conforme de son père.*

*Les sumotoris ont l' air obèse mais ils sont souples **comme** des chats et forts **comme** des bœufs !*

Attention ! Ne confondez pas **comme** et **comment**.

- *Je ne sais pas **comment** ouvrir cette machine.* (= de quelle manière ?)
- ❍ *C' est facile ! Tu fais **comme** ça et hop, c' est ouvert !* (= de cette manière)

Comparer une qualité

L'adjectif qualificatif se place entre les deux marqueurs de la comparaison.

*Lucien est **plus** patient **que** Philippe.*
*Kevin est **aussi** sérieux **que** Sybille.*
*Vincent est **moins** dynamique **que** Nathalie.*

Les adjectifs **bon** et **mauvais** ont une forme particulière.

bon/ne/s → **meilleur/e/s**
mauvais/e/es → **pire/s**

*À mon avis, Sybille est **meilleure que** Vincent pour ce travail.*

On peut nuancer la comparaison avec **un peu, beaucoup, bien...**

*Vincent est **un peu/beaucoup/bien moins** dynamique **que** Nathalie.*

*Sybille est **un peu/bien meilleure que** Vincent pour ce travail.*
Sybille est ~~beaucoup~~ meilleure que Vincent.

Comparer une quantité

On peut comparer des quantités (exactes ou approximatives) pour démontrer la supériorité, l'égalité ou l'infériorité.

Paul a beaucoup de patience.
Yannick a très peu de patience.

	plus de
Paul a	***autant de** patience **que** Janick.*
	moins de

On peut préciser une comparaison avec **un peu, beaucoup, bien, six fois, mille fois**, etc.

*Paul a **un peu / beaucoup / bien / mille fois** plus de patience que Yannick.*

Comparer une action

- ● *Vincent travaille **moins que** Kevin.*
- ❍ *Non, je crois qu' ils travaillent **autant** l' un **que** l' autre.*

	plus
Je travaille	***autant que** Julien.*
	moins

Plus, autant et **moins** se placent normalement après le verbe.

*En été, on dort **moins** qu' en hiver.* — *En été on ~~moins~~ dort...*

Avec un temps composé, il est possible de trouver le premier élément de la comparaison juste après l'auxiliaire ou bien après le participe passé.

*Vincent **a** plus / autant / moins **travaillé** que Kevin l' année dernière.*
*Vincent **a travaillé** plus / autant / moins que Kevin...*

TUTOYER ET VOUVOYER

En fonction de l'interlocuteur, les Français tutoient ou vouvoient. **Tu** exprime **une relation de familiarité** et s'utilise pour parler aux enfants, aux membres de la famille, aux amis et, dans certains secteurs professionnels, aux collègues de même niveau hiérarchique.

Vous s'utilise pour marquer **le respect** ou **la distance**.

Les statuts des interlocuteurs ne sont pas toujours égaux et souvent l'un des interlocuteurs tutoie tandis que l'autre vouvoie, c'est le cas des professeurs et des élèves au collège et ou lycée.

Quand des locuteurs francophones veulent passer au tutoiement dans une situation où les conventions linguistiques exigent normalement le vouvoiement, ils le proposent clairement.

On se tutoie ?

- ❍ *Tu peux me tutoyer, si tu veux.*
- ● *Bien, Monsieur le Directeur !*

JE NE SUIS PAS D'ACCORD !

L'EXPRESSION DE L'OPINION

Se positionner

Pour signaler sa position par rapport à un thème, on peut dire :

Personnellement,	je suis **pour le/la/les**	
	je suis **en faveur du/de la/de l'/des**	+ NOM
	je suis **contre le/la/les**	

● *Qu' est-ce que vous pensez de l' interdiction de fumer dans les restaurants ?*
❍ ***Personnellement, je suis en faveur de l'****interdiction de fumer dans les restaurants.*
■ *Moi aussi,* ***je suis pour*** *(l' interdiction de fumer dans les restaurants).*
❒ *Moi,* ***je suis contre*** *(l' interdiction de fumer dans les restaurants).*

❒ *Je suis ~~en~~ contre de l' interdiction de fumer dans les restaurants.*

Présenter son opinion

Pour introduire une opinion, on peut utiliser différentes formules.

À mon avis,
Pour moi,
D'après moi,
Selon moi,
le français est plus facile que l'anglais.

Je pense que/qu'...
Je crois que/qu'... + INDICATIF

Je pense que *le français* ***est*** *plus facile que l' anglais.*

Je ne crois pas que/qu'...
Je ne pense pas que/qu'... + SUBJONCTIF

Je ne crois pas que *le français* ***soit*** *plus facile que l' anglais.*

Exprimer son accord ou son désaccord

Face aux opinions des autres, on peut exprimer ouvertement son accord ou son désaccord.

Je (ne) suis (pas) d'accord avec	ce que dit Marcos / ce que vous dites.
	toi/lui/elle/vous/eux/elles.
	cela/ça.

Je (ne) partage (pas)	l'opinion de Sandra.
	ton/votre/son/leur point de vue.
	l'avis de monsieur Delmat.

Certains adverbes comme **pas du tout, absolument, totalement, tout à fait** permettent de nuancer l'expression de l'accord ou du désaccord.

Si on souhaite exprimer son adhésion totale, on peut dire :

Oui, vous avez ***tout à fait*** *raison.*
Oui, tu as ***totalement*** *raison.*

Pour rejeter catégoriquement l'argument ou l'opinion de l'interlocuteur.

*Je ne suis **pas du tout** d' accord avec vous.*
*Je ne partage **absolument** pas votre point de vue / le point de vue de...*

Pour nuancer et exprimer avec courtoisie son désaccord, même si celui-ci est total.

*Je ne suis pas **tout à fait** / **complètement** / **totalement** d' accord avec vous quand vous dites que...*
*Je ne partage pas **tout à fait** / **complètement** / **totalement** votre opinion.*

Contredire avec courtoisie

Pour contredire d'une manière courtoise, on reprend les arguments ou les idées exposés par l'interlocuteur avant d'introduire sa propre opinion ou argument.

Oui, bien sûr, mais **C'est vrai, mais** **Il est vrai que ... mais**	+ OPINION

***Il est vrai que** les parents doivent surveiller ce que leurs enfants regardent, **mais** la télévision est un service public et...*

AUTRES RESSOURCES POUR DÉBATTRE

***On sait que** le tabac est mauvais pour la santé.*	On présente un fait que l'on considère admis par tout le monde.
***En tant que** médecin, je dois dire que...*	On situe un point de vue depuis un domaine de connaissance ou d'expérience.
***Par rapport à** l' interdiction de fumer dans les restaurants, je pense que...*	On signale le sujet ou le domaine dont on veut parler.
D'une part,** les jeunes ne sont pas assez informés sur les risques du tabac, **d'autre part...	On présente deux aspects d'un sujet, d'un fait, ou d'un problème.
*Interdire n' est pas la bonne solution. **D'ailleurs,** l' histoire l' a très souvent démontré.*	On justifie, développe ou renforce l'argument ou le point de vue qui précèdent.
Une meilleure communication intergénérations serait souhaitable, **c'est-à-dire** que les parents parlent avec leurs enfants.	On introduit ou développe une explication.
*Augmenter le prix du tabac pour réduire sa consommation ne sert à rien. **En effet,** les ventes continuent d' augmenter régulièrement.*	On confirme et renforce l'idée qui vient d'être présentée. Dans un dialogue, son usage est aussi une marque d'accord avec l'idée énoncée par l'interlocuteur.

*Les gens continueront à fumer **même si** le prix du tabac augmente beaucoup.*	On introduit une probabilité que l'on rejette.
*Fumer est dangereux, **car** des particules de goudron se fixent dans les poumons et...*	On introduit une cause que l'on suppose inconnue par l'interlocuteur.
*Le tabac est en vente dans des distributeurs automatiques, **par conséquent**, il est très facile pour un mineur d' en acheter.*	Introduit la conséquence logique de quelque chose.
*La cigarette est mauvaise pour la santé, **par contre**, un bon cigare de temps en temps ne fait pas de mal.*	On introduit une idée ou un fait qui contraste avec ce qu'on a dit précédemment.

LE SUBJONCTIF

L'emploi du subjonctif signifie que le locuteur considère la réalisation d'un processus comme :

- **Nécessaire, souhaitable, possible.**

*Pour améliorer votre niveau de français, **il faudrait que vous fassiez** un séjour en France.*
***J'aimerais que Julio vienne** samedi à la fête que j' organise.*

- **Incertaine, douteuse, peu probable.**

*Les jeunes ne croient pas **que les tatouages et les piercings soient** si dangereux.*
*Je ne suis pas sûr **que tu puisses** faire ce travail.*

Quand le sujet de la première et de la deuxième phrase est le même, on met le verbe de la deuxième à l'infinitif.

*Je ne suis pas sûr **de pouvoir** venir samedi.* *Je ne suis pas sûr ~~**que je puisse**~~ venir samedi.*

Le présent du subjonctif est construit à partir de la troisième personne du pluriel (**ils**) du présent de l'indicatif et des formes **nous** et **vous** de l'imparfait.

DEVOIR	
Présent de l'indicatif	**Subjonctif**
ils **doiv**-ent	que je doiv-**e** que tu doiv-**es** qu'il/elle/on doiv-**e** qu' ils/elles doiv-**ent**
Imparfait	**Subjonctif**
nous **devions** vous **deviez**	que nous **devions** que vous **deviez**

Attention ! Les verbes **être**, **avoir**, **faire**, **aller**, **savoir**, **pouvoir**, **valoir**, **vouloir** et **falloir** sont irréguliers.

ÊTRE	AVOIR	FAIRE
que je **sois**	que j'**aie**	que je **fasse**
que tu **sois**	que tu **aies**	que tu **fasses**
qu'il/elle/on **soit**	qu'il/elle/on **ait**	qu'il/elle/on **fasse**
que nous **soyons**	que nous **ayons**	que nous **fassions**
que vous **soyez**	que vous **ayez**	que vous **fassiez**
qu'ils/elles **soient**	qu'ils/elles **aient**	qu'ils/elles **fassent**

ALLER	SAVOIR	POUVOIR
que je j'**aille**	que je **sache**	que je **puisse**
que tu **ailles**	que tu **saches**	que tu **puisses**
qu'il/elle/on **aille**	qu'il/elle/on **sache**	qu'il/elle/on **puisse**
que nous **allions**	que nous **sachions**	que nous **puissions**
que vous **alliez**	que vous **sachiez**	que vous **puissiez**
qu'ils/elles **aillent**	qu'ils/elles **sachent**	qu'ils/elles **puissent**

VOULOIR	VALOIR	FALLOIR – il faut (verbe impersonnel)
que je **veuille**	que je **vaille**	qu'il fa**ille**
que tu **veuilles**	que tu **vailles**	
qu'il/elle/on **veuille**	qu'il/elle/on **vaille**	
que nous **voulions**	que nous **valions**	
que vous **vouliez**	que vous **valiez**	
qu'ils/elles **veuillent**	qu'ils/elles **vaillent**	

Attention ! Ne confondez pas la prononciation de **que j'aie** [ɛ] et **que j'aille** [aj].

CARACTÉRISER DES ÊTRES OU DES CHOSES : DONT

Dont remplace un groupe de mots introduits par la préposition **de/d'**.

Il peut être complément du nom.

Je connais un garçon ***dont*** *le père est animateur à la télé.*
(= le père de ce garçon est animateur)

S'il est complément du nom, **dont** est toujours suivi des articles définis **le, la, les**.

● *Mais de qui tu parles ?*
❍ *De la fille **dont les** parents ont un restaurant sur les Champs Élysées.*
❍ *De la fille ~~dont ses~~ parents...*

Il peut être complément prépositionnel d'un verbe accompagné de la préposition **de**.

*C' est une chose **dont** on parle souvent.* (= **on parle de** la télévision)

● *Et si on allait au Japon cet été ?*
❍ *Fantastique ! C' est un voyage **dont** je rêve depuis des années.*
(= **je rêve de** faire un voyage au Japon.)

INTRODUCTION D'UN THÈME EN FRANÇAIS

Pour introduire ou annoncer un thème à exposer ou à débattre en français, on évite l'introduction directe telle que :

Aujourd' hui, nous allons parler de l' influence de la télévision sur les enfants.

On amène généralement le sujet de façon progressive en utilisant de multiples techniques rhétoriques.

On peut par exemple amener le sujet sous forme de **devinette**, de **métaphore**, de **petit jeu**, ou bien commencer par **une question**, **une petite histoire**, **un proverbe** ou **un dicton**, ou encore utiliser **l'ironie**, **la répétition**, **l'antithèse**, **un cliché**, etc. Le but de tous ces recours est de susciter l'intérêt et de séduire l'audience ou les participants dès le début.

Elle est présente dans presque tous les foyers et elle a pris une telle ampleur qu' elle est devenue le premier des loisirs. Elle a une place prépondérante au centre du salon et les enfants la regardent en moyenne 12 heures par semaine. Ce soir, nous allons donc parler de la télévision.

QUAND TOUT À COUP...

RACONTER UNE HISTOIRE, UN SOUVENIR D'ENFANCE, UNE ANECDOTE

Une histoire, c'est une succession d'événements que nous mettons au **passé composé**.

*Il **a versé** le café dans la tasse.*
*Il **a mis** du sucre dans le café.*
*Avec la petite cuiller, **il l'a remué**.*
***Il a bu** le café.*

(Pour la formation du passé composé, voir **Mémento grammatical** de l'Unité 3.)

Pour chaque événement, nous pouvons faire une pause et **expliquer les circonstances qui l'entourent**. On utilise alors l'**imparfait**.

*Il a versé le café dans la tasse. Il **était** très fatigué et **avait** très envie de prendre quelque chose de chaud. Il a mis du sucre, c' **était** du sucre roux.*

(Pour les autres usages et la formation de l'imparfait, voir **Mémento grammatical** de l'Unité 3.)

Pour évoquer des circonstances qui se sont passées avant l'histoire ou l'événement qu'on raconte, on utilise le **plus-que-parfait**.

*Il **avait** mal **dormi** et avait sommeil, alors il a pris une bonne tasse de café. C' était du café brésilien qu' il **avait acheté** la veille.*

On utilise aussi le **plus-que-parfait** quand on n'a pas raconté dans l'ordre chronologique tous les événements d'un récit et que l'on fait un retour en arrière.

● *T' es contente de ta nouvelle voiture ?*
❍ *Oui très ! Y a plein de gadgets pour garantir la sécurité. Par exemple, ce matin, je m' assois au volant, je vérifie tous mes rétroviseurs, je démarre et, à ce moment-là, j' entends un bip sonore et une lumière rouge se met à clignoter. Je n' **avais** pas **mis** la ceinture de sécurité ! Alors, j' accroche ma ceinture, je passe en première puis j' appuie sur l' accélérateur et, de nouveau, j' entends un bip et une autre lumière rouge s' allume !*
● *C' était quoi ?*
❍ *Je n' **avais** pas **desserré** le frein à main !*

LE PLUS-QUE-PARFAIT

Pour former le **plus-que-parfait**, on met l'auxiliaire **avoir** ou **être** à l'**imparfait** et on ajoute le **participe passé**.

Comme au passé composé, la plupart des verbes se conjuguent avec l'auxiliaire **avoir**.

j'**avais**	
tu **avais**	**fait** **acheté** **dormi** **vu** **lu** **peint**
il/elle/on **avait**	
nous **avions**	
vous **aviez**	
ils/elles **avaient**	

Les verbes qui expriment une transformation du sujet qui passe d'un état à un autre ou d'un lieu à un autre se conjuguent avec l'auxiliaire **être**. C'est le cas des verbes pronominaux et de certains verbes intransitifs.

(Pour la liste des verbes intransitifs qui se conjuguent avec l'auxiliaire **être**, voir **Mémento grammatical** de l'Unité 3.)

j'**étais**	**allé/e/s** **arrivé/e/s** **sorti/e/s** **entré/e/s**
tu **étais**	
il/elle/on **était**	
nous **étions**	
vous **étiez**	
ils/elles **étaient**	

je **m'étais**	**réveillé/e/s** **perdu/e/s** **assis/e/s**
tu **t'étais**	
il/elle/on **s'était**	
nous **nous étions**	
vous **vous étiez**	
ils/elles **s'étaient**	

L'ACCORD DU PARTICIPE PASSÉ

Quand le verbe se conjugue au passé composé ou au plus-que-parfait avec l'auxiliaire **être**, le participe passé s'accorde avec le sujet.

Quand est-ce que Thierry est parti ? (MASCULIN SINGULIER)

L'autre jour, j'ai rencontré Catherine aux Galeries Lafayette.
*Elle était venu**e** avec sa mère pour acheter une robe de mariée.* (FÉMININ SINGULIER)

*L'été dernier, Yvan et Stéphane sont allé**s** aux Antilles.* (MASCULIN PLURIEL)

*À quelle heure Estelle et sa sœur sont-elles rentré**es** ?* (FÉMININ PLURIEL)

Quand le verbe se conjugue avec l'auxiliaire **avoir**, le participe passé ne s'accorde pas avec le sujet, mais avec le **COD** (complément d'objet direct) **s'il y en a un et si celui-ci est placé devant le verbe**.

● *Tu as vu les photos de nos vacances ?*
○ *Oui, Claudine me **les** a montré**es** l'autre jour.*

● *Qu'est-ce que tu nous prépares ?*
○ *Une omelette avec **les champignons** que j'ai cueilli**s** ce matin.*

SITUER DANS LE TEMPS

L'autre jour, lundi dernier, il y a un mois ...

Pour commencer à raconter un souvenir d'enfance ou une anecdote vécue, on utilise des **marqueurs temporels** qui permettent de situer dans le passé ce souvenir ou cette anecdote.

On peut raconter une anecdote en la situant dans un passé lointain, mais sans préciser quand.

***Un jour**, j'étais très petite, je suis allée à la plage avec mes cousins...*

On peut raconter une anecdote en la situant dans un passé récent, mais sans préciser quand.

***L'autre jour**, je suis allé au cinéma avec des amis.*

On peut aussi raconter une anecdote en la situant d'une manière plus précise dans le passé.

Il y a un mois environ, *j' ai fait un voyage en Italie.*
Lundi dernier, *je suis allée au restaurant avec mes parents.*
Samedi soir, *j' ai vu une chose étrange.*

hier
avant-hier
il y a deux jours
lundi / mardi / mercredi /... (dernier)
la semaine dernière
le mois dernier
l'été dernier
l'année dernière
le 24 juin

(Pour les moments de la journée, voir **Mémento grammatical** de l'Unité 2.)

Il y a

Il y a suivi d'une expression de durée situe l'action dans le passé.

● *Quand est-ce que vous vous êtes rencontrés ?*
❍ ***Il y a*** *deux ans.*

● *Tu as déjeuné ?*
❍ *Oui,* ***il y a*** *une demi-heure.*

il y a	cinq minutes
	une heure
	deux jours
	trois mois
	un siècle
	mille ans

Il y a peut être suivi d'une expression de durée imprécise.

● *Quand est-ce que vous vous êtes mariés ?*
❍ *Oh,* ***il y a*** *longtemps !*
■ *Oui,* ***il y a*** *une éternité !*

À cette époque-là, cette année-là, ce jour-là, ce soir-là, à ce moment-là, ...

Ces marqueurs temporels servent à introduire des circonstances qui entourent ou précèdent l'événement. En général, il s'agit d'une reprise de la donnée temporelle.

Après mon bac, *j' ai fait mes études à la fac de lettres, à Montpellier.* ***À cette époque-là,*** *j' habitais dans un petit appartement au centre-ville.*

Lundi dernier, *je suis allée au restaurant avec Daniel.* ***Ce jour-là,*** *il pleuvait des cordes.*

Samedi soir, *j' ai vu une chose étrange.* ***Ce soir-là,*** *j' avais décidé de faire une balade au bord de la rivière.*

« Quand la Grande Guerre a éclaté, Mata-Hari, a continué à voyager librement à travers l' Europe. (...) ***Cette année-là,*** *la tension était très forte en France. La guerre durait depuis trois ans et elle avait fait beaucoup de victimes. »*

La veille, deux jours avant, quelques jours auparavant, la semaine précédente, ...

Ces marqueurs temporels servent à introduire les circonstances qui ont précédé l'événement.

*La police a arrêté jeudi un homme qui, **quelques jours auparavant / deux jours avant / la veille** avait cambriolé la bijouterie de la place Thiers.*

Au bout de

Ce marqueur temporel indique la durée entre deux événements et il suppose une conclusion qui intervient au terme de la seconde action.

*J' ai attendu très longtemps puis **au bout de deux heures**, je suis parti.*
(= après avoir attendu deux heures)

*Ils se sont mariés en 2001 et, **au bout de quelques années**, Charline est née.*
(= après quelques années de mariage)

***Au bout de longues négociations**, les deux parties sont enfin tombées d' accord.*

Tout à coup, soudain

Ces marqueurs temporels signalent une rupture de temps et l'arrivée brusque d'un événement.

*J' étais tranquillement assis dans la bibliothèque, (quand) **tout à coup** il y a eu un grand bruit.*

*J' étais en train de regarder la télé, (quand) **soudain** la lumière s' est éteinte.*

Tout à coup et **soudain** sont souvent précédés par le marqueur **quand**.

Finalement

Pour conclure le récit et indiquer quelle est la conséquence de l'histoire.

*Je me suis levée tard, j' ai renversé mon café, le téléphone a sonné, ma voiture ne voulait pas démarrer. **Finalement**, je suis arrivée en retard au travail.*

LA VOIX PASSIVE

Dans une phrase **à la voix active, le sujet du verbe fait l'action**.

*André Le Nôtre **a dessiné** les jardins de Versailles.*

Dans une phrase à la **voix passive, le sujet du verbe ne fait pas l'action**.

*Les jardins de Versailles **ont été dessinés** par André Le Nôtre.*

Dans une phrase à la voix passive, l'agent (celui qui fait l'action) n'est pas toujours explicite.

*Le château de Versailles et ses jardins **ont été construits** au XVIIe siècle.*

À la voix passive, le temps verbal est indiqué par l'auxiliaire et le participe s'accorde toujours en genre et en nombre avec le sujet.

*Le cyclone **a été** très violent ; plusieurs maisons ont **été détruites** et beaucoup d' arbres **ont été déracinés**.*

IL ÉTAIT UNE FOIS...

LE PASSÉ SIMPLE

Le **passé simple** s'emploie seulement à l'écrit et essentiellement à la troisième personne du singulier et du pluriel. Il a les mêmes valeurs que le passé composé, mais il situe l'histoire racontée dans un temps séparé du nôtre. Voilà pourquoi le passé simple est traditionnellement d'usage dans les récits où le surnaturel est présent comme dans les contes, les mythes et les légendes.

*Ils **se marièrent** et **eurent** beaucoup d' enfants. (*Blanche Neige et les sept nains*)*

*Pâris **lança** une flèche qui traversa le talon d' Achille. (*Le cheval de Troie*)*

*Georges **demanda** l' aide d' un dieu inconnu de la princesse : le dieu des chrétiens. (*Saint Georges et le dragon*)*

On peut aussi trouver le passé simple dans des biographies ou des romans.

*Dans sa ronde, elle **se heurta** contre moi, **leva** les yeux. **Je vis** se succéder sur son visage plusieurs masques —peur, colère, sourire. (Andreï Makine,* Le testament français*)*

Dans un récit au passé simple, il peut y avoir aussi des passés composés, notamment lorsque les personnages dialoguent.

Une minute et quatre cent vingt mille lieues plus loin, le Petit Poucet arriva devant le palais royal.
Il entra dans la salle où le roi tenait un conseil de guerre.
« Que viens-tu faire ici, mon garçon ? » demanda le roi d' un ton sévère. « Ce n' est pas un endroit pour un petit enfant ! »
*« **Je suis venu** pour gagner beaucoup d' argent », expliqua le Petit Poucet en saluant le roi.*

FORMATION DU PASSÉ SIMPLE

DANSER	FINIR	CONNAÎTRE	VENIR
je dans **-ai**	je fin **-is**	je conn **-us**	je v **-ins**
tu dans **-as**	tu fin **-is**	tu conn **-us**	tu v **-ins**
il/elle/on dans **-a**	il/elle/on fin **-it**	il/elle/on conn **-ut**	il/elle/on v **-int**
nous dans **-âmes**	nous fin **-îmes**	nous conn **-ûmes**	nous v **-înmes**
vous dans **-âtes**	Vous fin **-îtes**	vous conn **-ûtes**	vous v **-întes**
ils/elles dans **-èrent**	ils/elles fin **-irent**	ils/elles conn **-urent**	ils/elles v **-inrent**

TELLEMENT / SI ... QUE

Tellement et **si** se placent devant un adverbe ou un adjectif et expriment une très grande intensité pour le locuteur.

(Voir **Mémento grammatical** de l'Unité 1, « Si, tellement ».)

Tellement et **si** annoncent souvent une conséquence qui sera introduite par **que**.

*Je suis **si/tellement** fatiguée **que** je m' endors absolument partout.*

*Mange plus **lentement** ! Tu manges **si/tellement** vite **que** tu vas avoir mal à l' estomac !*

*Cendrillon descendit l' escalier **tellement** vite **qu'**elle perdit une de ses pantoufles de verre.*

TELLEMENT (DE) / TANT (DE) ... QUE

Tellement et **tant** modifient un verbe et expriment l'intensité.

● *Qu' est-ce qui lui arrive ? Il est aphone ?*
❍ *Oui, complètement. Il a **tellement/tant** chanté hier soir !*

Tellement et **tant** peuvent annoncer une conséquence.

● *Qu' est-ce qui lui arrive ? Il est aphone ?*
❍ *Oui, complètement. Il a **tellement/tant** chanté hier soir qu' il n' a plus de voix du tout !*

*Benjamin voyage **tellement/tant** qu' il ne voit presque jamais sa famille.*

Tellement/**tant de** modifient un nom.

● *Et si on allait à la plage ?*
❍ *Je suis désolé, mais j' ai **tellement/tant de** travail **que** je ne peux pas sortir ce week-end.*

*La télévision a **tellement/tant** pris **d'**importance dans notre vie, **qu'**elle est souvent au centre de la salle à manger.*

À l'oral et dans un registre familier, **tellement**/**tant (de)** sont parfois placés derrière le participe passé quand le verbe est conjugué à un temps composé (passé composé, plus-que-parfait).

*Il a **chanté tellement/tant** hier soir qu' il n' a plus de voix du tout !*

*La télévision a **pris tellement/tant d'**importance dans notre vie, qu' elle est souvent au centre de la salle à manger.*

Tellement (de) est un peu plus fréquent que **tant (de)**.

LA CAUSE : PARCE QUE, CAR ET PUISQUE

Parce que indique la cause de manière neutre, c'est-à-dire que le locuteur ne fait aucune supposition à propos de ce que l'interlocuteur sait. **Parce que** peut se placer au début d'un énoncé ou bien entre deux propositions.

*Il n' est pas allé en cours **parce qu'**il était malade.*

● *Pourquoi vous n' êtes pas venu en cours ?*
❍ ***Parce que** j' étais malade.*

Car sert à introduire une cause que l'on suppose inconnue par l'interlocuteur.

*Un piercing au nombril avant 16 ans n' est pas recommandable **car** les adolescents peuvent encore grandir et la peau peut éclater.*

(Voir **Mémento grammatical** de l'Unité 6.)

Normalement, **car** n'est pas placé en début de phrase.

~~Car~~ les adolescents peuvent encore grandir, un piercing au nombril avant 16 ans n' est pas recommandable.

Puisque sert à introduire une cause que l'on suppose connue par l'interlocuteur.

- *Tu vas au cinéma ce soir ?*
- ❍ *Non, **puisque** tu as dit que tu ne m' accompagnais pas.*

Puisque peut se placer au début d'un énoncé ou bien entre deux propositions.

*Tu pourrais faire les courses **puisque** tu finis à midi.*
***Puisque** tu finis à midi, tu pourrais faire les courses.*

AFIN / POUR QUE

Afin de introduit un objectif, un but à atteindre.

Afin de est suivi de l'infinitif.

*Je dois étudier beaucoup **afin de** réussir tous les examens et partir tranquille en vacances.*

Afin que est suivi du subjonctif, lorsque le sujet de la première phrase est différent de celui de la deuxième.

*Nous avons téléphoné à sa mère **afin que** Pierre **puisse** venir avec nous en vacances.*

Pour que introduit un objectif, un but à atteindre mais s'emploie quand il y a un changement de sujet entre la première phrase et la deuxième. **Pour que** est suivi du subjonctif.

*« Loup, montre tes pattes **pour que** nous **puissions** voir si tu es vraiment notre chère maman », dirent-ils en cœur. (*Le loup et les sept chevreaux*)*

POURTANT

Pourtant s'emploie pour mettre en évidence quelque chose qui nous semble paradoxal.

- *Tu t' es perdu ?*
- ❍ *Oui, complètement !*
- ***Pourtant** ce n' est pas la première fois que tu viens chez moi !*

Pourtant peut être renforcé par **et** ou **mais**, en exprimant ainsi la surprise, la contrariété.

- *Quel sale temps !*
- ❍ *Comme tu dis ! **Et pourtant** la météo avait annoncé du soleil !*

*Je ne retrouve plus mes clefs, **mais pourtant** je suis sûr de les avoir laissées ici !*

LORSQUE

Lorsque s'utilise de la même manière que **quand**.

Lorsque peut signifier **à l'époque où**.

***Lorsque** j' étais petite, j' habitais en banlieue parisienne.*
(= **Quand** j'étais petite, j'habitais en banlieue parisienne.)

Lorsque peut signifier **au moment où**.

***Lorsque** je suis sorti ce matin, il pleuvait.* (= **Quand** je suis sorti ce matin, il pleuvait.)

Lorsque peut signifier **chaque fois que**.

*Le week-end, **lorsqu'**il fait beau, nous allons à la plage.*
(Le week-end, **quand** il fait beau, nous allons à la plage.)

LA SIMULTANÉITÉ : TANDIS QUE ET PENDANT QUE

Tandis que et **pendant que** indiquent la simultanéité de deux actions ou de deux états.

● *Comment les enfants se sont-ils comportés ?*
❍ *Oh, très bien ! Paul a rangé tous les jouets **pendant que / tandis que** Judith mettait la table.* (= Paul a rangé tous les jouets **et pendant ce temps** Judith a mis la table.)

● *Claude n'a pas téléphoné ?*
❍ *Ah, peut-être... Le téléphone a sonné deux fois **pendant que/tandis que** je prenais une douche.*

***Tandis que** le Petit Chaperon rouge marchait dans les bois, le loup mangeait sa grand-mère.*

● *Qu'est-ce que tu feras **pendant que** je serai absente ?* (= pendant mon absence)

Mais si on veut insister sur le fait que ces deux actions ou ces deux états sont très différents on emploie **tandis que**.

*Parfois il pleut **tandis que** le soleil brille.*

LE GÉRONDIF

Quand le sujet fait deux actions simultanées, on peut utiliser le gérondif.

● *Je n'ai jamais le temps de lire le journal.*
❍ *Moi, je le lis toujours **en prenant** mon petit déjeuner.*
(= Je lis le journal **et en même temps** je prends mon petit déjeuner.)

Ainsi, on peut dire aussi :

*Je prends mon petit déjeuner **en lisant** le journal.*

Le gérondif sert aussi à exprimer de quelle manière les choses se passent.

● *Maman, je me suis tordu le genou.*
❍ *Comment tu t'es fait ça ?*
● ***En jouant** au football.*

Il peut aussi exprimer la cause ou la condition.

*Tu l'as contrarié **en refusant** de participer.*
(= Tu l'as contrarié **parce que** tu as refusé de participer.)

*De nos jours, c'est difficile de trouver un travail de commercial **en ne sachant pas** parler l'anglais.*
(= C'est difficile de trouver un travail de commercial **si on ne sait pas** parler l'anglais.)

Quand on exprime la manière, la cause ou la condition, le sens de la phrase peut changer radicalement selon le verbe que l'on met au gérondif.

*Je me suis tordu le genou **en jouant** au football.*
*J'ai joué au football ~~**en me tordant**~~ le genou.*

*Tu l' as contrarié **en refusant** de participer.*
Tu as refusé de participer ~~en le contrariant~~.

Formation du gérondif

Le gérondif se forme avec **en** + PARTICIPE PRÉSENT.

Pour former le participe présent, on prend comme base la 1re personne du pluriel du présent de l'indicatif et on lui ajoute **-ant**.

Présent	**Gérondif**	
nous **pren**ons	en **pren**-ant	[pʀənɑ̃]
nous **buv**ons	en **buv**-ant	[byvɑ̃]
nous **conduis**ons	en **conduis**-ant	[kɔ̃dɥizɑ̃]

Voilà trois gérondifs irréguliers.

ÊTRE → **en étant**
AVOIR → **en ayant**
SAVOIR → **en sachant**

À la forme négative

À la forme négative, les particules **ne** et **pas** encadrent le participe présent.

*Tu nous as déçus en **ne** réussissant **pas** l' examen.*

en **n'**étudiant **pas**
en **ne** sachant **pas**
en **ne** parlant **pas**
en **n'**écoutant **pas**
en **ne** faisant **pas**

DEPUIS (QUE), IL Y A ... QUE, ÇA FAIT ... QUE

Depuis suivi d'une expression de durée chiffrée indique qu'un état ou une action qui a commencé dans le passé dure encore dans le présent.

Marie et François sont mariés ***depuis trois ans.***

On peut dire la même chose de deux autres manières.

Il y a *trois ans* ***que*** *Marie et François sont mariés.*
Ça fait *trois ans* ***que*** *Marie et François sont mariés.*

Depuis, **ça fait ... que** et **il y a ... que** peuvent également être suivis d'un adverbe de temps qui exprime une durée.

J' habite à Paris ***depuis longtemps.***
Ça fait longtemps que *j' habite à Paris.*
Il y a longtemps que *j' habite à Paris.*

Depuis peut aussi être suivi d'une date fixe ou d'un nom qui exprime un événement.

● *Depuis quand est-ce que tu habites à Paris ?*
❍ *J' habite à Paris* ***depuis 1998****, c' est-à-dire* ***depuis mon mariage.***

● *Comment tu vas ? Ça fait longtemps qu' on ne s' est pas vus !*
❍ *Oui, nous ne nous sommes pas vus* ***depuis l'été dernier*** *!*

Dans ces cas-là, la phrase ne peut pas se construire avec **il y a... que** ou bien **ça fait... que**.

Depuis que est suivi d'une phrase verbale.

J' ai arrêté de travailler ***depuis que ma fille est née.*** (= depuis la naissance de ma fille)

depuis 1998 / janvier 2004 / Noël / l'été dernier / lundi dernier / mon mariage / le départ de Gérard / la naissance de mes enfants / le jour où je t'ai vue / la première fois où... / toujours / **que** je suis venu en France / **que** ma fille est née / **que** j'ai rencontré Frédéric / ...

IL Y A

Il y a suivi d'une expression de durée situe l'action dans le passé.

● *Quand est-ce que vous vous êtes rencontrés ?*
❍ ***Il y a deux ans.***

● *Je t' offre un café ?*
❍ *Non merci, j' en ai pris un* ***il y a une demi-heure.***

● *Tu sais où est Sarah ?*
❍ *Elle était là* ***il y a deux secondes à peine.***

Il y a peut être suivi d'une expression de durée imprécise.

● *Quand est-ce que vous vous êtes mariés ?*
❍ *Oh,* ***il y a longtemps*** *!*
● *Oui,* ***il y a une éternité*** *!*

il y a deux secondes / cinq minutes / une heure / deux jours / trois mois / vingt ans / un siècle / mille ans / longtemps / quelque temps / une éternité / ...

DANS

Dans suivi d'une expression de durée chiffrée situe l'action dans le futur.

● *Tu es prête ?*
❍ *Pas tout à fait, **dans cinq minutes** !*

● *Quand est-ce que tu pars pour Atlanta ?*
❍ ***Dans deux semaines**.*

Dans peut être suivi d'une expression de durée imprécise.

*Je suis fatiguée de vivre en ville. **Dans quelques années**, j'ai l'intention d'acheter une petite maison tranquille à la campagne et de m'y installer définitivement.*

***Dans quelque temps**, nous irons en vacances sur la Lune.*

dans deux secondes / cinq minutes / une heure / deux jours / trois mois / vingt ans / un siècle / mille ans / quelques années / quelque temps / le futur /...

Pour l'expression du futur, voir aussi le **Mémento grammatical** de l'Unité 4.

OUI, NON, SI

Quand la question introduite par **est-ce que** ou bien par **une intonation montante** contient une négation, la réponse est **si** pour signifier « oui ».

● *Vous **ne** faites **jamais** de sport ?*
❍ ***Si**, de la natation trois fois par semaine.*

● *Vous **n'**avez pas **encore** visité le musée d'Orsay ?*
❍ ***Si**, je l'ai visité l'année dernière. Il est superbe !*

La réponse est **non** pour confirmer l'information demandée.

● ***(Est-ce que) vous n'**aimez **pas** danser ?*
❍ ***Non**, je n'aime pas danser.*

N'est-ce pas

N'est-ce pas à la fin d'une question est une demande de confirmation.

● *Vous aimez le fromage, **n'est-ce pas** ?*
❍ ***Oui**, beaucoup.*

● *Vous savez qui est Ronaldo, **n'est-ce pas** ?*
❍ ***Oui**, bien sûr, c'est ce joueur de foot si célèbre.*

À l'oral, dans un registre familier, on emploie souvent **hein** [ɛ̃] au lieu de **n'est-ce pas** pour demander une confirmation.

● *N'oublie pas de venir samedi. Tu me l'as promis, **hein** ?*
❍ ***Oui**, je viendrai.*

- ● *Maman, je peux aller à la piscine avec mes amis ?*
- ❍ *Demande à ton père !*
- ● *Papa, tu veux bien que j'aille à la piscine avec mes amis,* ***hein*** *?*

Sa place est mobile dans la phrase.

Papa, ***hein que*** *tu veux bien que j'aille à la piscine avec mes amis ?*
Papa, tu veux bien, ***hein, que*** *j'aille à la piscine avec mes amis ?*

RÉPONDRE À UNE QUESTION AUTREMENT QUE PAR **OUI OU NON**

Pour répondre affirmativement, on peut dire : **tout à fait, en effet, effectivement, évidemment, absolument, bien sûr, bien entendu...**

- ● *Vous êtes donc convaincu de votre découverte ?*
- ❍ ***Tout à fait****, vous en doutez ?*

- ● *Vous connaissez le Québec, n'est-ce pas ?*
- ❍ *En effet, je l'ai visité il y a deux ans.*

Pour l'usage de **en effet**, voir aussi **Mémento grammatical** de l'Unité 6.

- ● *Vous êtes sûr de ce que vous dites ?*
- ❍ ***Évidemment****, j'en suis certain !*

- ● *Vous êtes un écologiste perspicace ?*
- ❍ ***Absolument.***

- ● *Vous pensez que l'exercice physique est bon pour la santé ?*
- ❍ ***Bien sûr****, c'est très sain !*

- ● *Vous êtes persuadé de ce que vous affirmez ?*
- ❍ ***Bien entendu****, totalement persuadé.*

Pour répondre négativement, on peut dire : **pas du tout, absolument pas, vraiment pas, pas vraiment, pas tout à fait...**

- ● *Vous avez habité en Martinique ?*
- ❍ ***Pas du tout****, j'y suis allé comme touriste.*

Vraiment pas et pas vraiment

Vraiment pas est une négation catégorique de même que **pas du tout** ou **absolument pas.**

- ● *Vous aimez la bière, n'est-ce pas ?*
- ❍ *Non,* ***vraiment pas.***

Pas vraiment est une négation partielle. **Pas vraiment** signifie **pas beaucoup** et s'emploie parfois par courtoisie.

- ● *Vous aimez la bière ?*
- ❍ ***Pas vraiment****. Je préfère boire de l'eau si c'est possible.*

- ● *Vous avez compris, n'est-ce pas ?*
- ❍ *Euh, je suis désolé mais* ***pas vraiment****. Est-ce que vous pourriez répéter ?*

Table des matières

Unité 3 C'EST PAS MOI !

Nous allons mettre au point un alibi et justifier notre emploi du temps.

Pour cela nous allons apprendre à :
- ♦ raconter des événements en informant de leur succession dans le temps
- ♦ décrire un lieu, une personne, des circonstances
- ♦ demander et à donner des informations précises (**l'heure, le lieu**, etc.)

Et nous allons utiliser :
- ♦ l'imparfait et le passé composé
- ♦ **d'abord, ensuite, puis, après, enfin**
- ♦ **avant** + nom, **avant de** + infinitif
- ♦ **après** + nom/infinitif passé
- ♦ **être en train de** (à l'imparfait)
- ♦ **se rappeler** au présent
- ♦ **il me semble que**
- ♦ le lexique des vêtements (couleurs et matières)
- ♦ la description physique
- ♦ les marqueurs temporels : **hier soir, dimanche dernier, avant-hier vers 11 heures trente...**

À la fin de l'unité nous serons capables :
- ♦ de comprendre la description d'événements
- ♦ de raconter des événements
- ♦ de donner des détails sur les circonstances qui entourent des événements

Unité 4 ÇA SERT À TOUT !

Nous allons mettre au point un produit qui facilitera notre vie.

Pour cela nous allons apprendre à :
- ♦ nommer et à présenter des objets
- ♦ décrire et à expliquer le fonctionnement d'un objet
- ♦ caractériser des objets et à vanter leurs qualités
- ♦ convaincre

Et nous allons utiliser :
- ♦ le lexique des formes et des matières
- ♦ les pronominaux passifs : **ça se casse, ça se boit...**
- ♦ quelques expressions avec des prépositions : **être facile à/utile pour, servir à, permettre de...**
- ♦ les pronoms relatifs **qui** et **que**
- ♦ le futur simple
- ♦ **grâce à...**
- ♦ **si** + présent
- ♦ **pour/pour ne pas/pour ne plus** + infinitif

À la fin de l'unité nous serons capables :
- ♦ de comprendre un document publicitaire
- ♦ de définir les caractéristiques de quelque chose de concret dont nous ne connaissons pas le nom
- ♦ de décrire l'usage et le mode d'emploi d'un objet

Unité 5 JE SERAIS UN ÉLÉPHANT 46

Nous allons élaborer un test de personnalité et préparer un entretien de recrutement.

Pour cela nous allons apprendre à :
- évaluer des qualités personnelles
- formuler des hypothèses
- choisir des manières de s'adresser à quelqu'un selon la situation et les relations entre les personnes
- comparer et justifier nos choix

Et nous allons utiliser :
- **avoir du, de la, des** + substantif
- **manquer de** + substantif
- l'hypothèse **si** + imparfait, conditionnel
- les pronoms compléments directs et indirects : **me, te, le, la, nous, vous, les, lui, leur**
- le tutoiement et le vouvoiement
- la comparaison

À la fin de l'unité nous serons capables :
- de comprendre quelques expressions idiomatiques
- de comprendre et de répondre à un questionnaire
- d'utiliser différentes manières de s'adresser à quelqu'un selon la situation de communication

Unité 6 JE NE SUIS PAS D'ACCORD ! 56

Nous allons organiser un débat sur la télé et en tirer des conclusions afin d'améliorer la programmation de la télévision.

Pour cela nous allons apprendre à :
- exposer notre point de vue et à le défendre
- prendre la parole
- reformuler des arguments
- utiliser des ressources pour le débat

Et nous allons utiliser :
- le subjonctif après les expressions d'opinion à la forme négative: **je ne crois/pense pas que**
- **on sait que, il est vrai que... mais, par rapport à, c'est-à-dire, d'ailleurs, en effet, car, par conséquent, d'une part... d'autre part, même si, par contre**
- le pronom relatif **dont**

À la fin de l'unité nous serons capables :
- de suivre et de participer à un débat
- d'argumenter sur un thème

Unité 7 QUAND TOUT À COUP... 66

Nous allons raconter des anecdotes personnelles.

Pour cela nous allons apprendre à :
- raconter au passé
- organiser les événements dans un récit
- décrire les circonstances qui entourent le récit

Cette méthode est basée sur une conception didactique et méthodologique de l'approche par les tâches en langues étrangères développée par Neus Sans Baulenas et Ernesto Martín Peris.

ROND-POINT 2
Livre de l'élève

Auteurs
Josiane Labascoule
Catherine Flumian
Corinne Royer

Édition
Agustín Garmendia Iglesias et Eulàlia Mata Burgarolas

Conseil pédagogique
Neus Sans et Virginie Tamborero

Correction
Katia Coppola et Christian Lause

Conception graphique
A2-Ivan Margot ; Cay Bertholdt

Couverture
A2-Ivan Margot ; illustration : Javier Andrada

Mise en page
Cay Bertholdt ; Ronin-David Mateu ; Carme Muntané

Illustrations
Javier Andrada et David Revilla

Photographies et images
Toutes les photographies ont été réalisées par Marc Javierre Kohan sauf : Frank Kalero : p. 7 (Fabienne), p. 9 (Lara), p. 15 (Steven), p. 24-25 (graffitis et trentenaires au travail), p. 64 (Des chiffres et des lettres). Photographies cedées par la Région de Bruxelles-Capitale : p. 17 (patinoire). © Cin & Scen 2004 : p. 25 (Gloubiboulga Night). Frank Micelotta / Getty Images: p. 26 (6). Cover, Agencia de Fotografía : p. 26 (4), p. 47 (C), p. 55, p. 65 (Dicos d'or). Le Livre de Poche, Librairie Générale Française : p. 34-35. Stock Exchange : p. 26-27 (1, 2, 3, 7, 8), p. 38 (avion), p. 65 (geïsha), p. 82, p. 94 (plage). Frank Micelotta / Getty Images : p. 26 (6). Europa Press : p. 26 (5). © Jacques Carelman, VEGAP, Barcelone 2004 : p. 44-45. © Marsu by Franquin, 2004. www.gastonlagaffe.com : p. 75. Bharath Ramamrutham / STMA: p. 84-85 (Moutia at Anse Takamaka). ACI Agencia de Fotografía : p. 84-85 (canoë à Haiti), p. 94 (Fort de France). Photographies cédées par Tourisme Québec : p. 88-89. Serge Sayn : p. 95 (temple, Cirque de Cilaos).

Enregistrements
Voix : Carine Bossuyt, Christian Lause (Belgique) ; Catherine Flumian, Lucile Herno, Josiane Labascoule, Yves Monboussin, Olivier Penela, Corinne Royer, Jean-Paul Sigé (France) ; Valérie Veilleux (Québec) ; Rebecca Rossi (Suisse).
Musique : p. 35, version de « Bonnie and Clyde », paroles et musique de Serge Gainsbourg. P. 55, version de « Le travail, c'est la santé », paroles de Boris Vian et musique de Henri Salvador.
Studio d'enregistrement : CYO Studios

7e réimpression : septembre 2007

ISBN édition internationale : 978-84-8443-173-2
D.L. : B-36.498-2004

Imprimé en Espagne par Tallers Gràfics Soler, S.A.

difusión
Français
Langue
Étrangère

C/ Trafalgar, 10, entlo. 1a
08010 Barcelone (Espagne)
Tél. (+34) 93 268 03 00
Fax (+34) 93 310 33 40
fle@difusion.com

www.difusion.com